D1134020

Le Grand Ménage

Tout ce qu'il faut éliminer pour être en bonne santé

Du même auteur

Oméga-3, Ramsay, 1995.
Les Nouveaux Risques alimentaires, Ramsay, 1997 ; J'ai Lu, 1999.
Libre de maigrir, Ramsay, 1998.
La Cuisine à vivre, avec Michel Guérard, Éditions nᵒ 1, 2000.
Le Bon Usage des vitamines, Éditions nᵒ 1, 2001.
On s'en lave les mains – tout connaître des nouvelles règles de l'hygiène, Flammarion, 2007. J'ai Lu, 2008.

Docteur Frédéric Saldmann

Le Grand Ménage

Tout ce qu'il faut éliminer pour être en bonne santé

Flammarion

© Flammarion, 2008.
ISBN : 978-2-0812-1148-3

À Marie

Préface

Frédéric Saldmann, cardiologue et nutritionniste, a largement démontré son art de s'adresser au grand public pour diffuser les messages de santé. Par son style simple et direct, il éclaire notre vie quotidienne à l'aide de données scientifiques modernes qu'il met à la portée de chacun. Il a, ici, choisi de nous parler du « grand ménage » que notre corps entreprend tous les jours, autrement dit des fonctions d'« élimination ». Tout un programme de physiologie pratique et efficace.

Vous avez dit « physiologie » ? C'est quoi la « physiologie » ? Je répondrai en disant que le physiologiste est le médecin des gens bien portants qui veulent le rester grâce à une bonne information réalisée spécifiquement pour eux.

En effet, aujourd'hui, l'abondance de l'information scientifique, sur Internet en particulier, fait qu'avec la meilleure volonté du monde, un citoyen, même curieux et disposant d'un solide bagage culturel, ne peut raisonnablement s'y retrouver.

D'où l'intérêt majeur de la démarche de Frédéric Saldmann qui fait œuvre ô combien utile : il cherche, trie, simplifie et met en perspective les données les plus modernes sur un sujet original et jamais abordé comme tel, à savoir l'É-LI-MI-NA-TION et son rôle majeur dans le maintien de la santé. Ce livre montre en effet que la « sagesse du corps » chère aux physiologistes – et instinctivement pratiquée par les animaux – est souvent déviée ou oubliée chez l'être humain. Pourquoi ? À cause d'attitudes culturelles et de tabous qu'il faut savoir reconnaître si l'on veut être à l'écoute de son organisme.

Mais que pouvons-nous faire, en pratique ? Lire ce livre. Car en le lisant, nous percerons les mystères et trouverons les clés du « bien éliminer » : bien éliminer l'urine, les selles, la sueur bien sûr, mais aussi les calories superflues, l'oxyde de carbone et même le sperme et les larmes, tous ces liquides biologiques qui font que notre espace intérieur est maintenu constant malgré de multiples perturbations environnantes.

C'est à vivre notre santé en direct que Frédéric Saldmann nous convie, grâce à des connaissances structurées et des « trucs » toujours faciles à mettre en œuvre. Suivons-le donc avec confiance dans cette promenade originale le long de la « tuyauterie » peu banale que la nature a mise à notre disposition au cours de l'évolution des espèces ; au fil de celle-ci, la fragile cellule initiale baignant dans l'eau de mer primitive est devenue l'être le plus sophistiqué qui soit.

En revanche, n'oublions jamais sa part animale comme nous y invite par ailleurs son ouvrage. Prenons soin de notre corps au quotidien : en le connaissant mieux grâce à ce livre, nous lui assurerons une longévité salutaire... un développement durable en quelque sorte.

Ne nous y trompons pas, au bout de tout cela il y a la récompense : le plaisir de se sentir bien dans sa peau, de maîtriser son bien-être personnel ainsi que celui de son entourage. Ce qui au début s'avère une contrainte, puisque nous sommes obligés de changer nos habitudes, apparaît rapidement naturel et agréable. Et le plaisir constamment renouvelé, que notre cerveau enregistre dans son « système de récompense », s'inscrit ainsi dans un cercle vertueux qui donne à la vie un nouveau départ. Comme le disait Lao-tseu : « Tout grand périple commence par un simple premier pas. »

Bon voyage donc... en compagnie de ce guide.

Josette Dall'ava-Santucci
Professeur de physiologie
Hôpital Cochin, Université Paris-V

Prologue

Apprendre à garder le meilleur, ce qui est essentiel à la vie, et à éliminer tout ce qui s'avère toxique et dangereux pour la santé, voilà l'objectif de ce livre.

*

L'environnement dans lequel nous vivons aujourd'hui comporte de nombreux aspects risquant de mettre à mal notre organisme : pollution, stress, excès en tous genres, manque de temps, multiplication des substances chimiques... La liste des petites et grandes agressions auxquelles nous devons faire face ne cesse de s'allonger, à tel point que les pouvoirs publics semblent décidés à réagir. Notamment au niveau européen grâce à la directive « Reach », qui oblige les industriels employant des produits chimiques à faire la preuve de leur innocuité pour la santé avant l'année 2020. Pas moins de trente mille substances sont concernées ! Cette directive est née un jour de juin 2004, alors que les ministres de l'Environnement de la communauté européenne étaient réunis pour une conférence. Une ONG fit irruption dans la salle et demanda aux hommes politiques présents de se soumettre à une prise de sang afin de leur prouver le danger des polluants. Les résultats furent consternants : ils révélèrent la présence dans le sang des édiles de trente-sept composants chimiques en moyenne, dont la plupart comportaient des facteurs de risque de cancer, de maladies neurodégénératives ou de stérilité[1] !

Ces analyses, aussi effrayantes soient-elles, ne sont pas l'apanage des hommes de pouvoir : à quatre-vingts ans, 80 % des individus de sexe masculin présentent par exemple des cellules cancéreuses dans la prostate. Quant au cancer du sein ou à la maladie d'Alzheimer, leurs victimes se chiffrent en centaines de milliers. Face à des maladies d'une telle ampleur, il est essentiel de rechercher de façon attentive tous les facteurs de risques impliqués. Scientifiques, pouvoirs publics et associations travaillent en ce sens, mais une chose est sûre : malgré leur action, les substances toxiques pour l'homme ne vont pas disparaître de sitôt !

*

Alors que faire ? Se résigner ? S'enfermer dans une bulle stérile en attendant des jours meilleurs ? Les solutions paraissent limitées à première vue mais, en réalité, chacun d'entre nous dispose d'éléments de réponse simples et accessibles. Pour cela, il importe toutefois de connaître son propre organisme et de le ménager.

---

1. Vous trouverez en fin de volume une bibliographie relative aux thèmes abordés dans cet ouvrage ainsi que les références précises des études évoquées.

Or aujourd'hui, nombre d'entre nous n'y sont pas suffisamment attentifs. Paradoxalement, beaucoup se montrent même plus vigilants envers leur automobile, choisissant avec soin l'huile qui protégera le mieux le moteur et respectant scrupuleusement le carnet d'entretien. Si, en dix ans, certains composants mécaniques doivent être remplacés plusieurs fois, le corps humain, lui, fonctionne quatre-vingts à cent ans avec les mêmes filtres que sont les reins et le foie, sans qu'il existe de pièce de rechange disponible – exception faite des greffes ou de certaines prothèses qui ne concernent qu'une part infime de la population et nécessitent des interventions chirurgicales lourdes. Ne faut-il donc pas en prendre soin ?

Ménager son organisme s'avère essentiel, alors que notre méconnaissance de certains risques liés à des gestes quotidiens nous en empêche souvent. Sans le savoir, nous le mettons à rude épreuve, que ce soit par nos choix vestimentaires, nos habitudes nutritionnelles, notre attitude envers nos difficultés personnelles, notre sédentarité... Connaître ces menaces cachées afin de mieux s'en protéger constitue un point de départ important, j'y ai donc consacré la première partie de cet ouvrage.

*

Il est tout aussi crucial de savoir choisir ce que nous apportons à notre organisme.

Dès l'Antiquité, nos ancêtres l'avaient compris, comme Hippocrate qui écrivit : « De la nutrition tu feras ta médecine. » Cette recommandation d'une grande sagesse est,

hélas !, trop peu suivie, comme en témoigne la croissance permanente des pathologies liées à l'alimentation :
obésité, diabète, maladies cardiovasculaires, etc.

Les choix nutritionnels constituent dès lors un enjeu
majeur dans la construction d'un véritable développement durable en faveur de notre corps. Il est ainsi bénéfique d'opter pour des aliments produisant le moins de
produits de dégradations toxiques pour l'organisme.
Cette démarche repose sur des règles valables pour tous
mais doit être affinée par une approche individualisée
liée aux nombreuses différences entre personnes, qu'elles
soient génétiques ou comportementales. J'ai donc développé plusieurs pistes permettant d'y parvenir et de
mieux se nourrir dans la deuxième partie de ce livre.

*

Il reste ensuite un point véritablement crucial à maîtriser pour demeurer en bonne santé : faire confiance aux
processus d'élimination de l'organisme.

En effet, le corps est conçu pour recevoir de l'énergie,
de l'eau, de l'oxygène et rejeter les déchets qu'il produit. Il
est doté pour cela de très nombreux systèmes permettant,
s'ils sont bien utilisés, d'éviter l'accumulation des éléments
nocifs et des maladies qui vont avec. Malheureusement, ces
outils restent mal connus de la plupart d'entre nous, ce qui
nous conduit à les négliger et à exposer inutilement notre
santé. Mieux les connaître aide à se débarrasser de mauvais
réflexes accumulés avec le temps.

D'autant qu'il existe des liens dont nous ne soupçonnons
pas toujours l'existence, comme l'illustre l'exemple des

fumeurs. On retrouve en effet chez eux (ou chez les personnes exposées au tabagisme passif), des produits de dégradation de la nicotine cancérigènes... au niveau de la vessie ! Résultat, le cancer de cet organe est fréquent parmi ces populations, alors que les risques pourraient être mieux maîtrisés en la matière. En effet, le danger de survenue d'un cancer est proportionnel au temps de contact entre le corps et les substances cancérigènes. Quand certaines d'entre elles se retrouvent dans l'urine, le simple fait de se retenir d'aller aux toilettes accroît la période de contact avec les composés nocifs, ce qui aggrave d'autant la probabilité de développer une pathologie cancéreuse. Or un sondage – effectué exclusivement pour cet ouvrage auprès de Français de toutes catégories d'âges et de classes sociales – révèle que nous sommes très nombreux à différer régulièrement notre envie d'uriner, sans nous douter un instant de la menace que cela représente ! Et la troisième partie de notre ouvrage témoigne qu'il existe bien d'autres constats similaires.

*

L'objectif de ce livre est de souligner la corrélation simple, forte et évidente entre la qualité de nos systèmes d'élimination et la santé.

Notre corps représente un capital précieux qui doit durer une vie entière. Si nous le négligeons, les dégâts apparaîtront avec le temps, inéluctablement... Parfois même assez rapidement, à l'image des plaques d'athérosclérose qui, en cas d'excès de cholestérol, se déposent le long des artères au risque de provoquer une hémiplégie ou un infarctus du myocarde.

Qui plus est, nous sommes inégaux dans nos capacités d'élimination : certains sont plus vulnérables, du fait de données génétiques. Il convient donc d'apprendre à gérer les risques en fonction de ce que nous sommes. Ce qui induit des difficultés supplémentaires... qui n'ont heureusement rien d'insurmontable.

*

Tout est finalement une question d'état d'esprit. Malgré les progrès de la médecine, de nombreuses pathologies continuent de progresser, notamment les cancers qui font encore trop de victimes. Ce constat nous impose une remise en question profonde de nos modes de vie, un tri particulièrement sélectif entre les habitudes à conserver, celles à transformer et celles à bannir. En résumé, c'est à un grand ménage que nous sommes conviés afin de profiter d'un cadre de vie plus sain. Au sortir de ce livre, vous serez donc, je l'espère, mieux informés des dangers éventuels auxquels votre quotidien vous expose et des façons de vous en protéger au mieux.

*

J'ai choisi de consacrer ma carrière de médecin à la médecine préventive dans la mesure où elle constitue à mon sens le meilleur bouclier pour faire face à la maladie et aux troubles du vieillissement. Utiliser au mieux ce bouclier grâce à des gestes concrets afin de préserver notre corps et de gagner en bien-être, tel est le but simple et pratique du voyage au pays de la santé où je vous emporte.

PREMIÈRE PARTIE

Se protéger
contre les menaces cachées

Les avancées médicales, l'allongement de l'espérance de vie, la progression constante de la prévention ont permis à l'espèce humaine de s'affranchir d'une grande partie de ce qui la menaçait auparavant. Les périls comme la famine, les épidémies massives ou la mortalité infantile ont grandement régressé – même si trop d'inégalités subsistent encore selon les populations. Les pays développés tirent globalement leur épingle du jeu grâce au niveau de vie de leurs habitants. Mais attention : il serait dangereux de verser dans l'insouciance, tant le monde moderne recèle des pièges nouveaux auxquels nous ne pensons pas forcément. Ainsi, spontanément, peu de gens associent l'habitude de laisser son téléphone portable sonner dans la poche de son pantalon ou de dormir sur le ventre à un comportement à risque, pour certains types de population. Pas plus que de conserver des restes dans son réfrigérateur, d'être accro à Internet ou de partager un apéritif entre proches. Et pourtant, tous ces comportements – et bien d'autres – présentent des risques réels pour notre santé. Pas de panique : il est facile de s'en prémunir, à condition d'être au courant...

CHAPITRE 1

Éliminez... ce qui menace l'espèce

*« Serrer trop fort le pressoir donne un vin
qui sent le pépin. »*

Francis Bacon

Pour entamer cette revue des menaces qui nous entourent mais dont nous ne soupçonnons pas toujours l'existence, commençons par nous pencher sur un fait inquiétant mis en évidence par de nombreuses études scientifiques : le nombre de spermatozoïdes chez l'homme n'a cessé de diminuer depuis le milieu du XXe siècle. Bien sûr, il y a toujours des naissances partout dans le monde, et il serait très excessif de parler dès aujourd'hui de menace pour la survie de l'espèce humaine. Cependant, cette diminution ne doit pas être sous-estimée. D'abord parce qu'elle est récente – les premiers travaux sur ce sujet datent de la fin de la Seconde Guerre mondiale –, ensuite parce qu'elle est associée à certaines maladies graves telles que des cancers hormonodépendants.

Les recherches ayant abouti à ce constat ont été nombreuses. Ouvertes dans les années 1940, elles se sont précisées à partir de 1970 grâce à des scientifiques américains ayant donné l'alerte sur ce phénomène. Cela a permis le lancement d'autres études, dont celle menée par des chercheurs danois, publiée en 1992 dans le *British Medical Journal* : leurs travaux ont établi la diminution du nombre de spermatozoïdes contenus dans le sperme durant les cinquante années précédentes, avec toutefois de fortes variations d'un pays à l'autre. Ainsi, le sperme des Finlandais est apparu comme très riche, à l'inverse de celui des Danois, beaucoup plus pauvre ; celui des Français se situait quant à lui entre les deux.

Les chercheurs se sont bien évidemment penchés sur les causes possibles de cette dégradation et sur l'origine des écarts constatés entre les différentes populations étudiées. Ce travail les a conduits à associer la baisse de qualité du sperme avec l'augmentation de diverses pathologies, notamment les cancers du testicule et la cryptorchidie, autrement dit le retard de la descente des testicules dans les bourses après la naissance. Dans certaines régions, un lien très net est apparu entre la diminution qualitative du sperme et le nombre supérieur de cas de cancers du testicule par rapport au reste de la population.

Si tout ceci ne révélait malheureusement pas l'origine du mal, cela a permis d'orienter les recherches médicales jusqu'à la mise en évidence ces dernières années d'une nouvelle notion : la dysgénésie testiculaire. En résumé, les troubles du développement testiculaire surviendraient dès la vie intra-utérine et aboutiraient à une mauvaise production de spermatozoïdes ou à des cryptorchidies. Pour appuyer cette hypothèse, une équipe de recherche danoise a démontré que les enfants dont la mère avait fumé pendant la grossesse présentaient une qualité de sperme inférieure à la moyenne. De fait, le déroulement de la grossesse peut avoir une incidence forte sur le développement du nouveau-né, y compris sur sa fertilité future car les cellules reproductrices sont les plus fragiles.

Mais ce critère ne suffit pas à expliquer à lui seul la diminution globale du nombre de spermatozoïdes chez l'homme. D'autres études ont donc eu lieu, certaines sont encore en cours ; toutefois, une chose est sûre : la baisse de la fertilité masculine n'est pas liée à une seule cause, mais à plusieurs, à l'image par exemple des maladies cardiovasculaires qui sont généralement multifacto-rielles : tabac, cholestérol, stress, hypertension artérielle, obésité, diabète ou hérédité sont autant de facteurs entrant en ligne de compte. Cela complique la prise en charge médicale car dès lors que plusieurs facteurs de risques sont associés, traiter un seul d'entre eux ne suffit pas à régler le problème.

Ce qui est vrai pour les pathologies cardiaques l'est tout autant pour les spermatozoïdes. Leur diminution ne peut être endiguée qu'en maîtrisant tous les paramètres qui la causent. Nous l'avons dit, les recherches conti-nuent à ce sujet, mais différents facteurs de risque ont d'ores et déjà été identifiés, et nous pouvons très facile-ment agir pour les diminuer. En effet, ils sont liés à des aspects pratiques de la vie de tous les jours dont nous ne soupçonnons pas toujours l'incidence. À commencer par nos choix vestimentaires...

Stop aux slips ou aux jeans serrés

La nature fait généralement bien les choses, mais ses lois sont parfois surprenantes. Ainsi, pour fonctionner correctement, les testicules doivent rester à une tempéra-ture inférieure d'au moins un degré à celle du corps. Cela explique d'ailleurs qu'ils soient situés dans les bourses, non à l'intérieur du corps. Le rôle de ces dernières est justement de maintenir la température adéquate, via un processus de réfrigération naturelle : s'il fait froid, les bourses vont se contracter de façon à se rapprocher des cuisses qui vont les réchauffer. Tous les hommes l'ont un jour constaté, à l'occasion d'un bain de mer frais par exemple. À l'inverse, s'il fait chaud, les bourses vont se détendre de manière à s'éloigner des cuisses afin de faire diminuer la température des testicules.

Or des sous-vêtements ou un jean serré risquent de contrarier ce mécanisme, comme l'a montré une étude menée en Allemagne par le professeur Jung. Il a réuni cinquante volontaires présentant un examen testiculaire normal et une absence d'antécédent de trouble de la fertilité. Ils ont accepté de se prêter à une mesure de la température des bourses grâce à des capteurs transmettant les informations relevées à un ordinateur chaque minute. L'objectif de ces tests était de mesurer l'impact des slips serrés sur la température du scrotum en position assise ou pendant la marche. Pour cela, les hommes ont été répartis en deux groupes distincts : les uns portaient des slips serrés, les autres des caleçons larges. Leurs autres vêtements étaient identiques. Dans une pièce à 20 °C, les sujets étaient soumis à des cycles de marche à vitesse fixe sur un tapis de course puis à des périodes de repos assis.

Les résultats furent sans appel et révélèrent une augmentation marquée de la température des bourses chez les volontaires portant des slips serrés. De fait, ces sous-vêtements ne permettent pas le fonctionnement normal du processus de refroidissement naturel des testicules, tout comme les jeans serrés. Quoi qu'en pense la mode, ces vêtements sont donc à porter avec modération... Précisons également que d'autres études ont mis en évidence le rôle de l'obésité dans l'augmentation de la température des testicules. Le processus est en quelque sorte similaire : à cause de l'excès de graisse au niveau des cuisses, les bourses ne sont jamais « rafraîchies », et le risque de diminution de la fertilité apparaît.

Toutefois, d'autres facteurs entrent aussi en ligne de compte : ils n'ont cette fois-ci rien à voir avec les tendances en vogue dans l'habillement mais sont liés aux nouvelles technologies.

Ordinateur portable et téléphone mobile : attention danger

Penchons-nous d'abord sur le cas de l'ordinateur portable : il est devenu pour beaucoup d'hommes un outil indispensable, susceptible d'être utilisé à tout moment. Il est d'ailleurs fréquent de voir des utilisateurs poser leur ordinateur directement sur leurs genoux. Or cela n'est pas sans poser problème, car un ordinateur produit de la chaleur en fonctionnant, qui peut être absorbée par les cuisses si l'appareil est posé directement contre elles. Avec comme conséquence une élévation de la température des testicules pouvant là encore entraîner une baisse de la production de spermatozoïdes. C'est ce qu'a démontré l'équipe du professeur Sheynkin, dont les travaux étaient d'autant plus importants que la population qui travaille le plus souvent avec un ordinateur portable sur les genoux est largement composée d'hommes jeunes, autrement dit de pères potentiels.

La méthode de recherche s'est avérée classique : des capteurs thermiques posés sur les bourses de vingt-neuf volontaires en parfaite santé ont enregistré la température toutes les trois minutes. Deux groupes ont été constitués : les membres du premier sont restés une heure avec un ordinateur posé sur les genoux. Les autres ont été placés dans les mêmes conditions mais leur ordinateur sur un bureau. À nouveau, les résultats parlent d'eux-mêmes : chez les volontaires du premier groupe, un réchauffement testiculaire allant de 2,6 à 2,8 °C a été constaté, ce qui n'a rien d'anodin ! Bien au contraire, une telle hausse de la température a une incidence directe sur la production de spermatozoïdes : plus l'ordinateur portable sera utilisé à même les genoux, plus leur nombre diminuera avec, à terme, un danger réel de moindre fertilité.

Heureusement, des parades simples existent : poser son ordinateur sur une table chaque fois que c'est possible, ou à défaut sur une surface assez épaisse, comme une sacoche, un gros livre ou un magazine épais, afin d'éviter un contact direct avec les genoux et de diminuer ainsi l'élévation thermique des testicules.

Coup de chaud sur le téléphone

Passons maintenant à un sujet polémique depuis plusieurs années : l'impact du téléphone mobile sur la santé. Ce sujet est trop vaste pour être traité dans cet ouvrage, aussi nous attarderons-nous sur ce qui nous préoccupe dans ce chapitre : la bonne santé des spermatozoïdes. Pour préserver celle-ci, il faut éviter de conserver son téléphone mobile dans une poche à proximité des bourses.

En effet, une étude des professeurs allemands Jung et Schill a montré le risque d'exposition testiculaire aux ondes électromagnétiques excessives : ces ondes provoquent elles aussi une augmentation de la chaleur testiculaire par induction. Or tout téléphone allumé en émet de façon quasi continue, même en mode vibreur ! Rangez donc votre téléphone où vous voulez, mais pas dans vos poches de pantalon... surtout si ce pantalon ou vos sous-vêtements sont serrés.

Comme l'ont souligné les auteurs de l'étude, l'association de vêtements serrés et d'ondes électromagnétiques constitue un cumul de facteurs de risques augmentant la température des testicules. L'impact sur la production de spermatozoïdes est donc d'autant plus fort. Heureusement, il est très simple de se soustraire à ces deux facteurs. Il en existe, hélas !, d'autres, moins simples à contourner.

Bien choisir sa position... pour dormir

Les travaux du professeur Jung portaient sur l'incidence de la réduction du stress thermique sur les parties génitales masculines de sujets présentant des spermes plus faibles, autrement dit des spermatozoïdes de moindre qualité et en moindre quantité. Chez ces hommes, la fertilité est limitée ; chaque petite amélioration sur les facteurs qualitatifs du sperme est donc essentielle pour augmenter les chances de procréation. Cela a conduit le professeur Jung et son équipe à chercher dans de nombreuses directions et à faire des découvertes surprenantes. Par exemple, aussi étonnant que cela puisse paraître, la position choisie pour dormir joue à son tour un rôle sur la température des testicules. Reprenant la technique de capteurs posés sur les bourses de différents volontaires, les chercheurs ont constaté une élévation moyenne de la température testiculaire de 0,65 °C chez les sujets dormant sur le ventre ou en position fœtale. En bref, il est préférable de dormir sur le dos !

Mais cela n'a bien sûr pas beaucoup d'intérêt si l'on couche dans une pièce surchauffée... Le professeur Jung a ainsi démontré que le rafraîchissement des bourses en période nocturne améliorait la qualité du sperme. L'expérimentation ayant abouti à ce constat a reposé sur la propulsion d'air frais au niveau des parties génitales d'un groupe de volontaires avec mesure de la température testiculaire, tandis qu'un autre groupe dormait à température ambiante. La comparaison des résultats obtenus a montré, chez les volontaires du premier groupe, une amélioration significative de la concentration des spermatozoïdes, de leur morphologie et de leur mobilité. L'équipe du professeur Jung a donc conclu à l'importance du stress thermique comme cofacteur d'infertilité, en particulier chez les sujets présentant initialement des problèmes de mauvaise qualité de sperme. Tous les éléments permettant de réduire ce stress thermique doivent donc être pris en compte, y compris les conditions de sommeil.

La chaleur passe aussi par le sol...

Un autre facteur d'augmentation de la température des testicules a été mis en évidence par le professeur Song en Corée du Sud : le chauffage par le sol.

Ce type de chauffage, installé en France dans un certain nombre d'appartements, notamment durant les années 1950-1960, est souvent mal toléré chez les femmes souffrant de mauvais retour veineux, de varices, de jambes lourdes ou d'œdèmes. Mais qu'en est-il sur les parties génitales masculines ?

Pour le déterminer, l'équipe du professeur Song a effectué l'expérience suivante : des étudiants, tous volontaires et ne présentant aucun problème de fertilité, ont été répartis en deux groupes. L'un séjournait dans une pièce dotée d'un chauffage par le sol, l'autre dans une pièce chauffée par des radiateurs classiques. Les résultats ont mis à jour une température génitale des hommes du premier groupe supérieure à celle des membres du deuxième groupe. Les chauffages par le sol anciens ne sont donc pas seulement défavorables pour les jambes des femmes : ils le sont tout autant pour les spermatozoïdes.

Précisons toutefois qu'il existe aujourd'hui des chauffages par le sol efficaces et dénués des inconvénients des anciens systèmes. Une réfection du chauffage peut donc être envisagée, mais à défaut, il importe de choisir son logement en connaissance de cause, surtout pour les sujets présentant des troubles de la fertilité.

Des spermatozoïdes écologistes ?

Nous l'avons vu, la diminution de la quantité de spermatozoïdes produite à l'échelle mondiale ces cinquante dernières années s'explique en partie par une augmentation du stress thermique des parties génitales. Mais un dernier élément entre en ligne de compte et contribue à expliquer la chronologie des événements.

Les professeurs Haughey et Graham ont effectué une étude portant sur 250 cas de cancers des testicules à New York, survenus chez des sujets jeunes pour la plupart. Les chercheurs ont tenté d'identifier les points communs entre les différents cas afin de déterminer les facteurs de risques : leurs travaux ont à nouveau mis en évidence l'augmentation de la température testiculaire, mais pas seulement. Ils ont établi aussi l'importance des traumatismes subis par les parties génitales (ce qui n'est pas véritablement surprenant), l'exposition aux phénols, à la fumée de cigarette et surtout à la pollution. Ce dernier facteur a, on le sait, considérablement augmenté durant le XXe siècle. Dès lors, on peut penser que la pollution a joué et joue encore un rôle dans la baisse du nombre de spermatozoïdes à l'échelle mondiale.

Voilà une raison supplémentaire de mettre l'écologie au rang de nos préoccupations quotidiennes. Car, à la différence des facteurs précédents, la pollution ne saurait bien évidemment s'appréhender à l'échelle individuelle uniquement. Rappelons toutefois qu'une bonne aération des habitations contribue à assainir l'air intérieur.

En tout cas, chaque homme soucieux de la bonne santé de ses spermatozoïdes dispose de plusieurs gestes simples et concrets pour les protéger.

CHAPITRE 2

Éliminez... ce qui encombre l'espace de vie et le cerveau

« Il n'est point de bonheur sans liberté,
ni de liberté sans courage. »

Périclès

Beaucoup d'hommes et de femmes traversent leurs vies dans des prisons qu'ils se sont construites eux-mêmes au fil des années. Ils tournent en rond dans des cellules rapetissant chaque jour, dont ils sont à la fois les gardiens et les détenus. Leur existence s'écoule ainsi, carcérale, sans qu'il n'y ait jamais eu ni faute ni procès... et sans espoir de remise de peine, à moins qu'une prise de conscience ne survienne.

L'origine de cet état de fait réside souvent dans l'accumulation – pas toujours consciente – d'habitudes ou d'objets qui étouffent peu à peu les individus. Quand une personne se trouve ainsi enfermée, quand les réflexes qui peuvent la sauver comme la révolte ou la volonté de changement ne se déclenchent pas, les risques de développer une maladie psychique ou organique augmentent sensiblement. Tabagisme, alcoolisme ou obésité pathologiques guettent également.

Dès lors, afin d'éviter ces difficultés et de jouir d'une meilleure qualité de vie, il est souvent utile de conduire une réflexion pour éliminer tout ce qui encombre l'espace vital, en commençant par des choses faciles et simples.

Place nette à la maison

L'adage bien connu qui dit « Laisse-moi entrer chez toi et je te dirai qui tu es » reflète très bien les liens évidents entre l'homme et son habitat. Un intérieur surchargé traduit rarement un état d'esprit serein. Il me paraît donc essentiel de savoir faire le vide, quitte à prendre des mesures radicales.

Je conseille pour débuter de choisir une pièce de la maison et de sortir absolument tout ce qu'elle contient : bibelots, tableaux, photos, meubles, tapis, et tout le contenu des placards. Une fois l'espace libéré, il faut faire le ménage au sens littéral du terme, sans oublier les endroits rendus auparavant inaccessibles par les meubles : il s'y accumule une poussière souvent impressionnante et idéale pour les acariens. Ensuite, si cela est possible, je recommande de peindre la pièce en blanc ou dans une couleur claire.

Dans cet espace neuf qui, d'un seul coup, paraît beaucoup plus grand, il faut désormais décider de ce qui va entrer à nouveau dans la pièce.

Vous devez agir comme un douanier sévère qui ne laisse rien passer, rien qui soit illégal pour votre bien-être. Il faut savoir se débarrasser de tous les éléments superflus en jetant ou en donnant tout ce qui n'a ni utilité, ni intérêt esthétique ou pratique.

Cet exercice s'avère délicat du fait de la valeur affective de certains objets. Mais il faut savoir que l'accumulation de bibelots, de vieux souvenirs poussiéreux ou de vêtements que l'on ne mettra plus jamais est potentiellement néfaste pour la santé. En effet, outre les acariens, les bactéries se logent volontiers dans ces vieilleries et contribuent à maintenir une flore microbienne susceptible de déclencher des maladies infectieuses ou des allergies. N'ayez donc pas de scrupules à vous débarrasser des objets de famille qui ne représentent rien pour vous et que vous conservez par obligation.

Ne pas confondre réfrigérateur et coffre-fort

Une fois ce grand tri effectué, vous pourrez réagencer la pièce et profiter de l'espace dégagé. Il sera alors temps de passer, à votre rythme, aux autres pièces de la maison sans oublier la cuisine, avec une attention toute particulière pour un élément trop souvent négligé : le réfrigérateur.

Celui-ci sert souvent de coffre-fort pour des restes qui ne seront jamais mangés, ou trop tardivement. Combien de patients poussent la porte d'une pharmacie ou d'un cabinet de consultation, malades d'avoir voulu avaler des restes histoire de « ne pas gâcher » ! Je ne fais évidemment pas l'apologie du gaspillage, mais il me semble préférable d'agir en amont en ajustant les quantités préparées. À défaut, essayez de finir les restes le jour même, car le temps est l'ami des germes présents dans les aliments. Même au réfrigérateur, ces germes vont se multiplier au risque d'atteindre la DMI (dose minimum infectante), c'est-à-dire la quantité déclenchant les troubles intestinaux.

Par ailleurs, n'oubliez pas de nettoyer régulièrement votre réfrigérateur. Il est en effet fréquent de voir dans une cuisine parfaitement récurée un réfrigérateur n'ayant pas été nettoyé depuis des mois, voire des années ! Or de nombreuses bactéries peuvent se développer à partir de débris d'aliments, transformant peu à peu le Frigo en bouillon de culture.

Dedans comme dehors

Autres espaces à ne pas négliger : les chambres d'enfants. Eux aussi ont tout à gagner à disposer d'un espace plus sain. À quoi bon garder des jeux qui ne servent plus ? Autant libérer de la place en jetant les jouets usés ou cassés, et en donnant ceux que votre enfant délaisse mais qui feraient peut-être la joie d'un autre. Il faut aussi laver très régulièrement les peluches pleines de salive séchée et d'acariens.

Outre l'intérieur de la maison, ce principe de grand nettoyage est également applicable à l'extérieur. Ainsi, dans l'épidémie récente de chikungunya sur l'île de la Réunion, une des premières mesures de prévention proposée a été de débarrasser les jardins de tous les objets inutiles qui s'y trouvaient, comme les morceaux de pneus usés ou les seaux, car ils s'avéraient propices au dépôt d'eau stagnante, milieu de développement idéal pour les moustiques propageant la maladie.

Des effets bénéfiques quasi immédiats

Dedans ou dehors, ce tri radical permet en tout cas de se séparer d'au moins la moitié des meubles et des objets accumulés au cours du temps. L'espace vital est augmenté, ce qui permet de mieux respirer, de bouger. La quantité de microbes et d'acariens présents dans la pièce s'effondre et l'air devient plus sain.

De plus, cette première étape peut être qualifiée de psycho-comportementaliste. En effet, grâce au grand ménage effectué, nos gestes pratiques du quotidien vont être simplifiés, ce qui va se refléter immédiatement dans notre psychisme. Ce lien entre gestes et psychisme a été illustré par le philosophe Alain dans un de ses ouvrages. Il y décrit une rencontre entre des diplomates qui doivent évoquer un sujet critique. Craignant que la discussion ne s'envenime, l'hôte décide de faire asseoir ses invités dans des fauteuils très confortables et mous où ils s'enfoncent. Une fois installés, il leur fait servir du thé dans une porcelaine très fine en veillant à ce que les tasses soient remplies à ras bord. Il a également fait enlever les tables de la pièce afin d'empêcher les diplomates de poser leur tasse. Dès lors, le moindre geste brutal accompagnant une parole vive risque de provoquer un désastre : thé renversé sur les costumes, porcelaine brisée, etc. Les protagonistes sont donc contraints de ne faire que des gestes délicats, qui vont canaliser leurs paroles et permettre un dialogue calme et constructif.

Au quotidien, le même principe s'applique, non par la contrainte, mais par la liberté : dans un espace plus grand, plus ouvert, mieux organisé, nos gestes sont simplifiés, facilités, ce qui profite directement à notre état d'esprit.

Se créer des espaces-temps de qualité

Une fois ce ménage fait chez soi, une nouvelle étape peut s'avérer bénéfique : remettre en question certains aspects de nos relations sociales. Là encore, il va être question d'éliminer. Rassurez-vous, cet ouvrage ne va pas se transformer en polar où un auteur inciterait ses lecteurs à se débarrasser de leurs ennemis ! Il s'agit simplement de veiller à nous ménager des moments consacrés à une activité particulière, qu'il s'agisse d'une tâche au travail, d'une conversation en famille ou entre amis ou simplement d'un peu de lecture. Sur le papier, cela paraît simple, mais, aujourd'hui, une menace permanente pèse sur ces espaces de temps privilégié.

Une liberté peut en masquer une autre

Cette menace, vous l'avez sans doute dans votre poche ou à côté de vous en ce moment même : c'est votre téléphone portable. Il serait bien entendu absurde et passéiste de contester l'aspect pratique indéniable de cet outil aujourd'hui incontournable. Mais il est à mon sens tout aussi absurde d'accepter de se faire sonner à tout bout de champ comme un domestique de vaudeville et d'abandonner aussitôt l'activité en cours dès qu'une sonnerie de téléphone mobile retentit ! Sans que nous y prenions garde, les communications téléphoniques sont devenues pour beaucoup d'entre nous prioritaires sur les échanges de vive voix. Avouez-le : même en pleine conversation avec des proches, c'est plus fort que vous, vous décrochez à la moindre sonnerie.

Ce comportement peut avoir un impact très négatif sur votre entourage et sur vous-même car les appels ou les SMS surgissent tout au long de la journée, au mépris de ce que vous pouvez faire ou penser, et des personnes avec lesquelles vous êtes. Ne pas imposer de limites à ce principe constitue, à mon sens, une forme de refus de soi et des autres. Le téléphone sans fil, initialement conçu pour libérer, est devenu pour beaucoup un objet d'aliénation, une sorte de fil à la patte restreignant leur qualité de vie.

La solution est toute simple : pour se recentrer sur les moments importants de l'existence et éviter qu'ils se dissolvent dans le quotidien, je recommande d'adopter le réflexe d'éteindre régulièrement son téléphone portable, en particulier en présence de personnes avec qui vous entretenez une relation de qualité. Cela permet aussi de s'offrir des moments de réflexion ou de détente sans être dérangé de façon intempestive. Ces instants se révèlent particulièrement positifs sur le psychisme, spécialement chez les individus stressés ou fatigués.

Savoir couper son portable de temps à autre est donc positif aussi bien sur le plan individuel qu'au niveau des relations sociales.

Courage, fuyez !

Mais il reste une étape importante pour améliorer ces dernières : bien choisir les personnes qui vous entourent. C'est une question d'énergie, de bonnes ondes. Pour préserver sa quiétude et sa santé, il faut savoir s'entourer de présences positives et éviter celles qui absorbent votre joie de vivre. Car c'est un fait, le contact avec certaines personnes peut laisser un sentiment de vide, d'épuisement, voire de déprime.

Cela repose parfois sur un comportement possessif, de petits chantages affectifs ou des phrases d'apparence anodine comme « Oh toi, ça n'a pas l'air d'aller en ce moment », « Tu as vraiment mauvaise mine », etc. L'accumulation de ces mini-sabotages ne peut qu'avoir un effet négatif sur votre moral.

Bien sûr, il paraît difficile de « trier » les membres de son entourage comme des meubles ou de vieux vêtements. Et pourtant, il importe de se montrer sélectif pour

ne pas voir son espace vital envahi par des comportements négatifs. S'interroger sur les relations que l'on
entretient avec son entourage me semble donc nécessaire,
afin de repérer les personnes dont le comportement
s'avère parfois négatif. Ensuite, il ne s'agit pas nécessairement de couper tout contact avec elles mais d'instaurer
une relation plus positive, en les voyant moins régulièrement ou dans un contexte différent, en présence d'autres
proches par exemple.

Combiner les différentes approches évoquées dans ce
chapitre demande du temps et une certaine énergie. Mais
cela offre la possibilité d'une réelle amélioration de la
qualité de vie au quotidien, inscrite dans la durée. À vous
de l'adapter à votre propre cas afin d'en tirer le meilleur.

CHAPITRE 3

Éliminez... les addictions

« À l'instant où l'esclave décide qu'il ne sera plus esclave, ses chaînes tombent. »

Gandhi

Lorsqu'on songe aux addictions, au fait d'être « accro » à telle ou telle chose, c'est à la drogue que l'on pense instinctivement. En réalité, les produits dits stupéfiants sont loin de détenir le monopole des comportements addictifs. Ils provoquent sans doute les conséquences les plus visibles, mais constituent seulement la partie émergée d'un iceberg complexe et mouvant. Car, aujourd'hui, les addictions sont de plus en plus nombreuses à se glisser sournoisement dans la vie quotidienne, sous des formes très variées qui les rendent difficiles à identifier.

Le mot addiction vient du latin *ad dicere* qui exprime la notion de « contrainte par corps », autrement dit une forme de subordination, de dépendance, à l'image de la relation qui peut s'instaurer entre un maître et son esclave. Les contraintes propres à la vie moderne placent certains d'entre nous dans une relation de ce type envers leurs propres comportements : soumis à une part d'eux-mêmes qu'ils ne contrôlent plus, ils en viennent à perdre leur liberté avec parfois un impact très négatif sur leur qualité de vie. Dès lors, il me semble indispensable de savoir identifier ces addictions plus ou moins silencieuses afin de pouvoir les combattre, pour ensuite retrouver cette liberté perdue et le bonheur qui l'accompagne.

Des toxicomanes sans drogues

Quelles sont donc ces addictions susceptibles de nous toucher, que nous en ayons conscience ou non ? En premier lieu, citons la consommation de substances addictives : les plus présentes dans l'imaginaire collectif, telles le cannabis, la cocaïne, l'héroïne ou l'opium, ne sont pas les plus nombreuses. D'autres, plus banales, touchent beaucoup plus d'individus comme le tabac ou l'alcool. Nous sommes là dans un domaine quantifiable qui est donc bien connu des médecins et des autorités – ce qui ne signifie pas pour autant que ces addictions sont aisées à traiter ! Néanmoins, elles sont plus faciles à repérer que d'autres types de dépendance.

Ainsi, on peut devenir un *addict* (accro en anglais) sans rien avaler, boire ni fumer. La télévision, Internet, le travail, les jeux de hasard ou vidéo constituent autant de sources d'addictions possibles. Mais la frontière entre un comportement maîtrisé et une addiction s'avère alors nettement plus difficile à établir. Il en va de même pour les addictions sexuelles, lesquelles se manifestent sous des formes très différentes allant de la masturbation excessive à une véritable dépendance à l'autre, susceptible de provoquer une angoisse profonde chez le partenaire. Parmi les mille visages de l'addiction, on rencontre également certains comportements sportifs ou des collectionneurs compulsifs dont le hobby tourne à l'obsession.

Le danger bien réel d'un bonheur illusoire

Spontanément, personne ne songerait à comparer un sportif, un internaute ou un collectionneur à un toxicomane. Pourtant, tous peuvent entrer dans la spirale de la dépendance selon un mécanisme similaire et avec des répercussions analogues sur la vie quotidienne. Une personne sous l'emprise d'une addiction consciente ou non ne parvient pas à contrôler ses pulsions. Celles-ci vont peu à peu monopoliser son énergie, lui imposer une tension qui sera de plus en plus forte jusqu'au passage à l'acte. Ainsi, un *addict* – que ce soit à la drogue, au jeu, au travail, etc. – perd le contrôle de lui-même jusqu'à réaliser sa pulsion. Il se sent alors soulagé, avec parfois un certain plaisir mais de courte durée. Nous sommes dans le même registre de satisfaction que celui éprouvé en se grattant suite à une démangeaison. Ensuite, toutes les pensées vont à nouveau se concentrer sur l'objet du désir en éclipsant progressivement les autres centres d'intérêts, y compris les relations sociales avec la famille, les amis, etc. Le risque d'une rupture de l'équilibre socio-affectif est alors réel et ne doit en aucun cas être méprisé.

Cette spirale fatidique repose sur un mécanisme physiologique bien connu de stimulation du système de récompense qui existe au niveau du cerveau. Il a été identifié à l'aide d'expériences pratiquées sur des rats. Une électrode leur avait été implantée dans le cerveau, au niveau de la zone gérant ce système de récompense. L'électrode était reliée à une petite pédale permettant de stimuler la zone en question. Une fois assimilé le lien entre la pédale et la satisfaction ressentie, les rats ont passé leur temps à appuyer dessus, en négligeant toute nourriture et boisson et en mettant ainsi leur vie en danger.

Chez l'homme, les choses sont bien entendues plus complexes mais le mécanisme de base reste comparable. Cela étant, les épisodes addictifs sont favorisés par la survenue de contraintes ou d'obligations engendrant une forme de stress. En d'autres termes, face à un problème, un individu sujet à une addiction risque de se réfugier dans celle-ci : il ne va donc pas se consacrer à la résolution de ses difficultés, mais au contraire les accentuer davantage. Un véritable cercle vicieux dont il peut être très difficile de sortir ! Les nombreux exemples de joueurs surendettés en témoignent malheureusement.

Cette spirale infernale n'a toutefois rien de masochiste : les victimes d'un processus addictif ne cherchent pas à entretenir leur malheur, bien au contraire. Comme elles n'arrivent plus à rentrer dans une vraie relation avec elles-mêmes, elles fonctionnent en trompe-l'œil. Beaucoup se mentent, mentent à leur entourage et finissent par vivre dans un décalage de plus en plus grand avec la réalité. L'addiction constitue en effet un mode de compensation dans un contexte d'incertitude à situer sa propre identité. Elle répond à un besoin d'être soi-même, qui se traduit par une pulsion dont la réalisation procure un sentiment immédiat d'exister plus fort et davantage. Pour certains, il s'agit d'une forme de retour à la notion de toute-puissance de l'enfance, où l'individu peut s'affranchir du temps et de l'espace. Bien sûr, tout ceci n'est malheureusement qu'une illusion. La douleur provoquée par les modes d'addiction provient justement du fait qu'en pensant être davantage soi-même par la réalisation de ses pulsions, le sujet s'éloigne en réalité encore plus de ce qu'il est véritablement. La recherche de sensations fortes donne l'impression de vivre plus intensément, faisant paraître le reste de l'existence gris et terne, ce qui fait replonger l'individu vers son addiction, en diluant encore un peu plus son identité dans la dépendance. La situation devient alors particulièrement paradoxale, car la victime a le sentiment de pouvoir contrôler son destin, de prendre les décisions nécessaires à son bonheur mais perd en fait le contrôle de ses actes quotidiens en subissant une forme d'aliénation. Un tel contexte n'augure évidemment rien de positif sur le long terme ! Il est donc crucial de savoir repérer nos propres addictions éventuelles et d'apprendre à y faire face.

Deux exigences : lucidité...

Répétons-le, les addictions s'avèrent très délicates à détecter précisément, aussi bien pour ceux qui en sont victimes que pour leur entourage. En effet, tous les niveaux d'addiction sont possibles, des formes légères aux plus extrêmes. Dès lors, à quel niveau fixer le curseur définissant une addiction ? À partir de combien de cigarettes par jour, de verres de vin ou d'heures passées sur Internet doit-on considérer qu'un problème se pose ? Il semble vain de répondre en détail à ces questions, tant les cas possibles sont nombreux. Tout dépend de l'histoire personnelle de chacun, de son niveau d'anxiété, de sa stabilité psychologique... et de l'addiction qui le touche ! En revanche, il existe peut-être un dénominateur commun à toutes les addictions permettant de les identifier. Ce qui n'est au départ qu'une habitude maîtrisée devient à mon sens une addiction à partir du moment où une personne n'arrive plus à s'en passer ne serait-ce qu'une journée et pour qui le manque s'exprime par de l'anxiété, un mal-être intérieur. Mon premier conseil tient donc en un mot : lucidité. Passer au crible nos comportements quotidiens avec la plus grande lucidité possible ne peut qu'être bénéfique. Pour être efficace, ce questionnement doit être positif : il ne s'agit pas de se demander si vous êtes accros à telle substance ou telle habitude, mais plutôt de définir si vous seriez capable de vous en passer ou non.

Par exemple, si vous êtes féru d'Internet, pourriez-vous imaginer passer quinze jours de vacances sans possibilité de vous y connecter ? Et vous, virtuose du smartphone, accepteriez-vous un week-end à la campagne dans une zone non couverte par le réseau ? Adepte de l'apéritif au retour du travail, seriez-vous capable de déroger à ce rituel pendant une semaine ? De rater plusieurs épisodes de votre série favorite si vous êtes téléphage ? Derrière ces exemples anodins se cache peut-être une addiction naissante. N'hésitez donc pas à vous poser ces questions et à y répondre le plus sincèrement possible. Mais attention : si jamais vous ressentez un doute, une angoisse particulière face à l'une de vos habitudes, n'essayez surtout pas de les minimiser en pensant vous contenter de faire simplement plus attention.

... et accompagnement

En effet, dans la majorité des cas, une personne se sachant ou craignant être dépendante a spontanément le sentiment de pouvoir s'en sortir seule, avant d'avoir rapidement conscience de ne pas y parvenir. Elle se sent glisser sur des parois lisses sans trouver de points d'appui. Cet échec pour s'arrêter risque de dégénérer inconsciemment en dépréciation de soi qui se traduira par un sentiment dépressif et anxieux entretenant le cercle vicieux de la dépendance.

J'insiste donc particulièrement sur ma seconde recommandation : ne restez pas seul face à votre comportement addictif éventuel. Dans le cadre d'une dépendance, quelle qu'elle soit, le rôle de l'entourage est essentiel pour remonter la pente. Admettre cette dépendance, son intensité réelle, en parler régulièrement, dialoguer, interpréter ses pulsions pour comprendre ce qui les provoque, communiquer pour ne pas s'isoler dans ses addictions sont autant d'attitudes très bénéfiques pour prendre du recul sur soi-même, premier pas vers une liberté retrouvée. Dans certains cas, la consultation auprès d'un psychiatre ou d'un psychologue s'avère nécessaire pour se dégager de l'emprise des addictions. S'il le juge utile, le praticien pourra prescrire un traitement adapté à chacun – qu'il s'agisse d'anxiolytiques, de patchs nicotiniques, de séances d'acupuncture ou d'autres traitements – afin de favoriser le sevrage. En tout cas, penser que la volonté suffit pour se libérer d'un comportement addictif constitue une grave erreur : il n'y a qu'à se pencher sur l'exemple du tabagisme pour s'en convaincre.

Le tabac : un bel exemple de volonté... politique !

La cigarette constitue sans doute la source d'addiction la plus combattue par les pouvoirs publics ces dernières années. Tous les risques liés au tabac sont parfaitement connus et exposés partout, aussi bien sur les publicités et les paquets de cigarettes que lors des campagnes nationales d'information. Chaque fumeur sait aujourd'hui qu'il s'expose aux rides précoces, aux troubles de l'érection, aux maladies cardiovasculaires et autres cancers. En outre, un arsenal de mesures a été déployé pour freiner la consommation des fumeurs : d'abord par des hausses répétées du prix du tabac, ensuite par l'interdiction de fumer dans tous les lieux publics. Incontestablement, ces mesures ont poussé un grand nombre d'entre eux à tenter d'arrêter la cigarette. Elles ont donc déclenché chez eux la *volonté* d'en finir avec leur addiction. Mais tous n'y sont pas parvenus pour autant, loin de là ! Les rendez-vous cigarette au pied des immeubles de bureaux ou à la sortie des restaurants sont d'ailleurs en passe de devenir de nouveaux phénomènes de société, preuve que les fabricants de tabac ont encore de beaux jours devant eux.

De fait, la volonté individuelle, aussi déterminée soit-elle, ne saurait suffire à faire céder les conditionnements physiologiques créés par l'excès d'une substance ou d'une habitude. Dans le cas du tabac, les arrêts réalisés par la seule volonté du fumeur sont d'ailleurs très rares. La grande majorité des fumeurs qui parviennent à décrocher le doivent à leur patience et à l'aide de leur médecin traitant, de la psychothérapie, de l'acupuncture, de patchs antitabac... bref, de toute thérapie pouvant contribuer à déconnecter les mécanismes physiologiques de la dépendance. Gagner le camp des non-fumeurs est difficile dans tous les cas, mais ça l'est beaucoup moins lorsqu'on se fait aider. Cette notion d'aide est d'autant plus importante qu'une personne accomplit des efforts énormes pour arrêter de fumer, mais risque malgré cela d'être confrontée à des échecs à répétition. Les exemples sont innombrables en la matière. Sans soutien ou accompagnement, le risque de s'épuiser, de s'enfermer dans un constat d'échec et de renoncer est alors maximal.

Ce constat, validé, vérifié et revérifié à propos du tabac, s'applique également aux autres addictions.

Celles-ci peuvent être graves et rendre certaines personnes esclaves de leurs propres pulsions. Si vous pensez ou craignez d'en être victime, n'hésitez donc pas : parlez-en simplement à votre conjoint, vos amis, votre médecin traitant. Car accomplir cette démarche, c'est déjà retrouver l'envie de liberté et faire le premier pas pour que les chaînes évoquées par Gandhi tombent.

CHAPITRE 4

Éliminez... les petits états dépressifs

« L'un des symptômes d'une proche dépression
nerveuse est de croire que le travail que l'on fait
est terriblement important. »

Bertrand Russel

Comme les addictions, les petits états dépressifs menacent notre bien-être et s'avèrent souvent difficiles à repérer. La plupart du temps, ils passent inaperçus pour le sujet concerné et son entourage. Leur présence ne se traduit que par un murmure de fond à limite du perceptible, comme le bruit de la ville qu'on finit par ne plus entendre, comme la pollution que les citadins ne remarquent plus mais qui les gêne lorsqu'ils reviennent de la campagne. À l'image de cette pollution capable de provoquer des maladies respiratoires ou de nuire à la fertilité [1], les états dépressifs mineurs peuvent avoir des conséquences néfastes sur la santé physique et mentale de ceux qui en souffrent, surtout s'ils ne sont pas détectés et traités à temps. Or la plupart d'entre nous ont tendance à minimiser ces épisodes, à grands renforts de phrases réflexes du type : « Oh, ça ira mieux demain », « C'est la vie, après tout on n'est pas malheureux », ou le sacrosaint « Je vais prendre sur moi... »

---

1. Voir chapitre 1.

Ne jamais prendre sur soi...

Cette expression populaire me semble particulièrement intéressante. En effet, « prendre sur soi » pour faire face à une obligation, une contrainte extérieure, une situation difficile, c'est prélever une part de soi-même et la sacrifier aux circonstances. Cela revient donc à abandonner un peu de soi, ce qui n'a rien d'anodin car à force de laisser filer ces petites parcelles d'identité, on risque de ne plus être soi-même et, au final, de ne plus exister que par les contraintes extérieures. Quand le décalage est trop prononcé entre la personnalité authentique d'un individu et ce qu'il devient dans la réalité quotidienne, une fissure se crée... dans laquelle la dépression fera facilement son lit.

En tant que médecin j'attache une importance fondamentale à la prévention. Or j'ai souvent observé que, dans de nombreux cas, la dépression s'installait chez des sujets qui avaient déjà la perception d'un malaise depuis plusieurs années mais qui « prenaient sur eux », aggravant ainsi leur état. Ils avaient accepté de vivre avec moins de rires, de joie de vivre, plus de quotidienneté et la perception sourde et inconsciente que quelque chose n'allait pas bien sans oser le reconnaître, sans même oser y réfléchir véritablement, du moins jusqu'à ce que la dépression les frappe.

... ni minimiser son état

Aujourd'hui, la dépression nerveuse caractérisée est prise au sérieux par l'entourage, les médecins et la société. Les patients qui en souffrent bénéficient d'une prise en charge thérapeutique employant tous les moyens

nécessaires (suivi psychologique, arrêt de travail, médicaments, etc.). Paradoxalement, cette pathologie est si
bien connue que les individus ressentant des petits coups
de cafard ne veulent en aucun cas se définir dans ce cadre
qui les effraie. Ils tendent généralement à minimiser leur
état, en parlant par exemple d'un simple coup de fatigue
qui disparaîtra de lui-même après les prochaines
vacances. Mais, derrière cette prétendue fatigue, se cache
en fait fréquemment un manque d'entrain, une absence
de joie de vivre, un sentiment de lassitude et d'ennui. En
résumé, rien de bien agréable ! Afin d'éviter de laisser
ces aspects négatifs s'installer, il faut commencer par les
accepter en face et ne pas les minimiser.

Il existe d'ailleurs un moyen de s'interroger sur le
sujet d'une façon qui peut même se révéler ludique. En
effet, les maladies mentales comme la dépression correspondent à des formes poussées de symptômes banaux qui
existaient déjà auparavant et que le sujet avait éventuellement perçus. En d'autres termes, chaque personne, même
la plus heureuse, est sujette à des troubles psychologiques mineurs, ce qui est tout à fait naturel. Mais si ces
troubles s'accentuent peu à peu et ne sont pas jugulés,
une maladie mentale risque d'apparaître. D'où la nécessité de bien se connaître afin de se montrer vigilant sur
ses propres faiblesses éventuelles.

Pour y parvenir, vous pouvez envisager de longues
semaines de retraite solitaire, mais il existe une solution
plus conviviale et aussi efficace à mon sens. Ainsi, il
m'est souvent arrivé, lors de soirées entre amis, de poser
cette question aux convives : « Si vous deviez un jour
développer un trouble psychologique, sous quelle forme
auriez-vous tendance à décompenser ? Autrement dit,

quels symptômes provoquerait-il ? » Je cite alors des exemples pour faciliter le choix : paranoïa, anorexie, boulimie, schizophrénie, dépression, nymphomanie... Au fil de la discussion, chacun trouve progressivement ce qui lui correspond le mieux en réfléchissant à ce qui s'exprime parfois en lui sur un mode mineur. Ce petit jeu plus ou moins sérieux permet, dans un contexte dédramatisé et agréable, d'essayer de repérer ses propres points de faiblesses afin de mieux prévenir ce qui pourrait être un jour un mode de décompensation. Car même les plus équilibrés et les plus solides d'entre nous ont des points de faiblesse susceptibles de devenir un jour des points de rupture. Nous sommes d'une certaine manière comme les rhinocéros : cet animal cuirassé semble indestructible, mais si on l'atteint entre les deux yeux, il s'effondre instantanément. Chez l'être humain, les points de faiblesses s'avèrent plus complexes : ils varient beaucoup selon les individus et se multiplient parfois. Mais nous disposons d'un avantage non négligeable sur les rhinos : il nous est possible de détecter nos zones fragiles, d'apprendre à mieux nous connaître et à nous protéger.

Des états aux origines – et aux solutions – multiples

Les états dépressifs mineurs ont généralement plusieurs sources, liées justement au fait que différents points faibles d'un individu soient mis à mal. Pour vous aider à les repérer, je vous propose un autre exercice, qui peut cette fois se pratiquer seul. Prenez une feuille blanche et tracez un trait vertical la séparant en deux.

Sur la première colonne, inscrivez toutes les choses désagréables que vous avez ressenties au cours de la journée, mais aussi les petites phrases que vous vous êtes dites pour vous donner du courage. Sur la deuxième, notez les sensations agréables de la journée, les moments de joie, de bonheur qui vous ont fait du bien.

La longueur respective des colonnes fournit déjà une indication permettant d'évaluer la situation. Il faut ensuite réfléchir à la façon d'augmenter le positif et de diminuer le négatif. Pour ce dernier, méfiez-vous des subterfuges utilisés par l'inconscient pour dissimuler ce qui ne va pas. Ne pas vouloir s'assimiler de près ou de loin à la dépression qui constitue une maladie, chercher à préserver son entourage en se disant qu'avec le confort matériel dont on dispose, on n'a pas le droit de se plaindre ou se répéter qu'il y a plus malheureux que soi constituent autant de façons d'éviter d'affronter sa propre situation et donc de se mentir.

Le fait de noter noir sur blanc les sources de contrariété ou de tristesse aide à prendre au sérieux ce que l'on dissimulait, à observer sa propre vie avec lucidité pour y déceler les petits dysfonctionnements presque silencieux, pour identifier les signaux, même faibles, devant donner l'alerte. À ce sujet, précisons qu'il convient de se montrer particulièrement vigilant chez un enfant ou un adolescent. De petites phrases traduisant un manque de confiance en soi, un sentiment d'autodépréciation ou de culpabilité trop marquée doivent faire penser à un possible état dépressif mineur dont il faut discuter, surtout lorsque les petits troubles de la vie quotidienne ont une tendance récurrente à s'associer entre eux.

Il est important également de repérer le contexte de survenue des événements, notamment en période hivernale. En effet, certaines personnes s'avèrent particulièrement sensibles au manque de lumière qui provoque chez elles un état dépressif léger pendant plusieurs mois. De nombreux travaux scientifiques ont permis de mieux comprendre ce phénomène et de lui donner un nom : le SAD, pour Seasonal Affective Disorder, soit troubles affectifs saisonniers en français. Les victimes de ce trouble n'ont pas besoin de remettre toute leur vie en question pour aller mieux : il leur suffit d'augmenter leur exposition à la lumière pendant les mois où l'ensoleillement est limité. Les solutions concrètes sont nombreuses : elles vont de la simple lampe de luminothérapie vendue dans le commerce (magasins d'électroménager, de bien-être, etc.) aux salles spéciales de certains services hospitaliers dotées d'éclairages puissants et proposant des séances régulières, en passant par un séjour hivernal sous les cocotiers quand les moyens le permettent.

Enfin, signalons qu'il existe des différences génétiques face aux états dépressifs. D'abord parce que les femmes sont plus exposées aux états dépressifs que les hommes. Ensuite parce que, comme l'ont montré plusieurs études scientifiques, on a découvert des prédispositions génétiques à la dépression. La présence d'un gène spécifique rend leur porteur davantage sujet aux épisodes dépressifs : des événements extérieurs ou un excès de stress vont alors intervenir comme facteur déclenchant pour que ce gène s'exprime.

D'ailleurs, même lorsque des éléments génétiques ou saisonniers entrent en ligne de compte, un état dépressif dépend presque toujours d'événements extérieurs qui jouent le rôle de catalyseurs voire de détonateurs. Les circonstances peuvent être variées, qu'il s'agisse d'un baby blues après une grossesse, de la perte d'un emploi, d'une déception amoureuse ou du décès d'un proche... Mieux comprendre l'impact réel de ces situations s'avère utile pour éviter de penser que l'on déprime sans raison apparente. Il faut alors accepter de laisser le temps accomplir son œuvre, de faire son deuil.

Le culte du bonheur à tout prix

L'une des explications à l'augmentation régulière du nombre de personnes dépressives ces dernières années réside peut-être dans le fait que la société actuelle ne laisse plus aux individus le temps nécessaire pour cicatriser leurs blessures intérieures. Il faut très vite se reconstruire, passer à autre chose, profiter de la vie à tout prix. Un exemple en témoigne de façon très sensible : l'évolution de la notion de deuil, dont la place se réduit d'année en année.

Il y a quelques dizaines d'années, les rituels liés au décès étaient très différents en France et beaucoup plus visibles. Pour commencer, la porte de l'immeuble où habitait le défunt était tendue de noir et l'initiale de son nom de famille inscrite sur le haut en couleur. Ensuite, le corps restait généralement exposé au domicile où la famille le veillait pendant un ou deux jours. Après l'enterrement, les proches s'habillaient en noir plusieurs semaines puis arboraient un crêpe noir sur le revers du veston ou un brassard noir afin de signifier aux autres le deuil qui les frappait. Les autres éléments liés au deuil, comme les enveloppes contenant les faire-part de décès cerclées de noir ou les corbillards, se montraient d'une manière générale plus ostentatoires.

Ces différentes pratiques avaient pour but de signaler à la société qu'une personne était en deuil, donc en souffrance, et qu'elle avait par conséquent besoin d'être ménagée, soutenue, préservée, et ce pendant plusieurs semaines. Nous sommes très loin de ces pratiques aujourd'hui. La souffrance liée à la perte d'un proche ne disparaît pas pour autant, mais elle se fait beaucoup plus discrète envers autrui. La tendance qui s'est peu à peu imposée consiste à se relancer au plus vite dans le rythme effréné du quotidien, car « la vie continue » dit-on. Mais cela s'opère le plus souvent trop tôt, avant même que les blessures provoquées par le décès d'un proche aient pu cicatriser suffisamment.

Qu'il s'agisse d'un deuil ou d'un autre événement difficile à surmonter, je considère pour ma part qu'il est nécessaire de lever le pied, en s'arrêtant par exemple de travailler une, deux, ou trois semaines pour accepter de souffrir, prendre le temps de pleurer et de se reconstruire. Ce passage difficile mais obligé permet ensuite de retourner à la vie quotidienne avec plus de solidité. Accepter de faire face à sa souffrance, ne pas la nier et prendre le temps de guérir peut permettre d'éviter la survenue d'états dépressifs et le recours à des médicaments. Cela nécessite du temps, mais s'avère très bénéfique à long terme. Il est donc préférable d'aller à contre-courant de la société actuelle, qui impose son exigence de bonheur à tout prix. Or le bien-être artificiel obtenu par exemple grâce à des anxiolytiques – dont la France détient le record de consommation par habitant – ne correspond pas à la définition du bonheur. Le vrai plaisir, profond et

durable, ne naît pas de la satisfaction d'un besoin immédiat. Des études récentes montrent d'ailleurs que l'attente
d'une récompense rend plus heureux que la récompense
elle-même. Cela signifie que sauter l'étape de l'attente,
ne pas laisser au désir le temps de naître ou de renaître,
c'est tuer le plaisir dans l'œuf. Concrètement, face à un
coup dur, il importe donc de laisser le temps réparer la
douleur subie afin de pouvoir ensuite regoûter aux joies
simples et vraies du quotidien. Cette attitude permet, elle
aussi, d'éviter la survenue d'états dépressifs mineurs susceptibles de déboucher sur une dépression.

En conclusion, nous avons tout à gagner à rester attentif à nos éventuels épisodes dépressifs mineurs : c'est le
meilleur moyen de les repérer et donc de pouvoir les
éliminer. Mais ce processus n'a rien d'immédiat. On ne
bascule pas de la joie à la dépression en un jour et inversement. Il faut donc se donner du temps, d'abord pour
évaluer sa propre situation, ensuite pour en parler à son
entourage ou à son médecin, sans jamais prendre sur soi.
La règle d'or est en tout cas de ne pas négliger les
signaux, mêmes faibles, témoignant d'un possible trouble
émotionnel, affectif ou psychologique. Ils constituent
peut-être les premiers indicateurs du chemin à suivre
pour retrouver la sérénité et un bonheur authentique.

CHAPITRE 5

Éliminez... le stress

« La peur, c'est l'enfant en nous qui panique. »

Tahar Ben Jelloun

De prime abord, il peut sembler étonnant d'évoquer le stress dans une partie consacrée aux menaces cachées nous entourant. Notamment parce qu'il est aujourd'hui omniprésent dans notre société. Les médias s'y intéressent, le sujet alimente de nombreuses conversations, l'industrie pharmaceutique propose depuis longtemps des traitements permettant de le réduire, etc. Pourtant, ce phénomène et son ampleur réelle restent en partie méconnus, essentiellement quant à son impact véritable sur la santé. Puisque beaucoup considèrent que l'anxiété, la tension voire l'angoisse qu'il engendre se passent avant tout « dans la tête », ils négligent les conséquences possibles sur l'organisme. Lesquelles existent pourtant et peuvent s'avérer sérieuses comme nous allons le voir.

Mécanisme protecteur ou menace destructrice ?

Au départ, le stress est un mécanisme physiologique permettant à l'organisme de se défendre face à une agression ou à un danger. Il n'est donc aucunement limité à un ressenti psychologique mais se traduit médicalement par des effets concrets et mesurables comme une augmentation de la sécrétion d'adrénaline accélérant le rythme cardiaque, une mise en tension des muscles et une stimulation du cerveau. Ce processus se retrouve aussi bien chez l'homme que l'animal.

Le stress constitue donc une réaction aidant le corps à s'adapter à une situation difficile. Il peut ainsi s'avérer positif et utile, mais s'il devient excessif et se déclenche sans arrêt, de nombreuses pathologies risquent de survenir avec le temps. En d'autres termes, il existe un bon et un mauvais stress. Le bon correspond au niveau optimal d'adrénaline favorisant l'action. Mais répété, subi et imposé sans action correctrice possible de notre part, il devient négatif et empêche la moindre adaptation à la vie quotidienne, comme l'a bien montré Henri Laborit.

L'un des enjeux du stress réside donc dans notre capacité à distinguer celui qui nous aide à surmonter une difficulté de celui qui nous empêche d'y faire face efficacement. Pour cela, voyons plus en détail le fonctionnement du processus physiologique qui lui est lié.

Du coup de boost au coup de mou

Tout commence par la sécrétion de l'adrénaline au niveau des glandes surrénales. Elle provoque une meilleure oxygénation des tissus en raison de l'augmentation du débit cardiaque par l'accélération de la fréquence des battements. Un surcroît d'énergie est en outre libéré par le foie (qui déverse des graisses et sucres dans l'organisme), permettant le surcroît de « carburant » nécessaire pour affronter les agressions. À ce stade, le sujet a l'impression de penser plus vite, de mieux réfléchir, d'avoir la capacité de prendre plus rapidement les bonnes décisions. C'est ce que ressentent par exemple certains étudiants avant un examen ou des sportifs avant une compétition : ils ont la sensation de mobiliser toutes les énergies qui sont en eux.

Mais il n'est pas rare de voir aussi des athlètes ou des élèves perdre complètement leurs moyens dans les moments importants – alors qu'ils s'y sont bien préparés – à cause d'un stress trop élevé les paralysant. Ces « coups de mou », crises d'angoisses et autres pics d'anxiété peuvent avoir des conséquences sur leur réussite et leur épanouissement personnel. Néanmoins, les situations les plus dangereuses restent celles où le stress est quotidien. Ses conséquences se montrent plus graves et plus durables, allant d'une sensation d'épuisement à des insomnies, voire à des maladies comme l'hypertension artérielle. Des risques d'autant plus élevés lorsque l'individu demeure inactif et subit son sort passivement.

Il importe donc de réagir sans tarder, en éliminant le stress inutile et négatif, celui qui use l'organisme jour après jour en le rendant plus vulnérable. Il n'est pas nécessaire de révolutionner son mode de vie, mais de réfléchir aux moyens d'accomplir les mêmes tâches au quotidien... sans stress. Cela aide à gagner en qualité et en durée de vie. Pour tenter d'y parvenir, il convient d'essayer de changer notre perception des choses. D'être, d'une certaine manière, plus philosophes...

D'Épicure à Maslow : quelques pistes pour moins stresser

Si le stress n'a été identifié comme tel que durant le xxe siècle, ses manifestations semblent toujours avoir accompagné les actions humaines. Aussi n'est-il pas étonnant qu'un penseur comme Épicure (341-270 av.-J. C.) se soit intéressé au sujet il y a plus de deux mille ans ! Afin d'éviter trop de tourments, il nous propose d'évacuer les désirs irrationnels, ceux que nous n'avons aucune chance de voir aboutir. De fait, se fixer des objectifs impossibles à atteindre va générer une tension et une insatisfaction constantes. Chercher en permanence à obtenir un idéal irréalisable oblige à mobiliser toute son énergie, de plus en plus intensément et souvent pour rien. Connaître ses limites, définir ses priorités par rapport à ses capacités réelles en apprenant à mieux se connaître, c'est aussi le début de la sagesse. Les psychologues d'aujourd'hui appellent cette attitude le « lâcher prise » et la recommandent souvent aux individus les plus soumis au stress. Identifier ses besoins réels évite de courir après des sources de bonheur improbables et vaines. Comme l'écrit Épicure, « les saveurs simples apportent un plaisir égal à un régime de vie profus, dès lors que toute la douleur venant du manque est supprimée ; et le pain et l'eau donnent le plaisir le plus élevé dès que dans le besoin on les prend ». En bref, mieux vaut apprendre à se contenter de ce qui est à notre portée que de souffrir d'une absence qui ne sera jamais comblée.

À cela s'ajoute une autre approche, fondée sur le fait que le stress provient souvent du décalage entre ce qu'une personne est dans la réalité, l'image qu'elle a d'elle-même et ce qu'elle souhaiterait être. Cette différence va entretenir une anxiété et une insatisfaction permanentes car le sujet s'estime tout le temps en dessous de ce qu'il désire. Le philosophe Abraham Maslow l'a bien décrit : « L'espèce humaine est la seule à avoir des difficultés à se voir en tant qu'espèce. Un chat semble n'avoir aucun mal à être un chat ; c'est tout simple. Les chats n'ont apparemment aucun complexe, aucune ambivalence, aucun conflit et ne montrent aucun signe de volonté d'être plutôt des chiens. » Là encore, cela illustre le fait que rêver ou aspirer à un statut en réalité inaccessible ne peut que générer un mal-être. À l'inverse, atteindre des objectifs précis constitue une source de valorisation personnelle donnant une impression de plénitude et de bonheur. Il s'avère donc bénéfique de bien se connaître, d'accepter ses défauts, afin de se fixer des buts atteignables qui procureront une sensation d'accomplissement. Cela constitue déjà un premier pas vers une meilleure régulation du stress.

D'ailleurs, cette attitude face aux difficultés s'applique aux marques du stress elles-mêmes ! Les personnes souffrant de tension ou d'anxiété ne doivent pas tenter d'en venir à bout du jour au lendemain, mais se laisser le temps de revenir progressivement à davantage de sérénité. Prenons l'exemple des insomnies, fréquentes chez les individus stressés. Elles s'avèrent difficiles à vivre, mais vouloir absolument dormir alors que l'on n'y est pas préparé va générer une angoisse supplémentaire qui a toutes les chances d'entretenir l'insomnie au lieu de la calmer. Le philosophe Alain le souligne dans *Propos sur le bonheur* : « Chercher le sommeil avec fureur. Douter de toute joie ; faire à tout triste figure et objection à tout [...] Tels sont les pièges de l'humeur. » Il ajoute plus loin : « Faites confiance au sommeil si vous voulez qu'il vienne. » Remplacer la « fureur » face aux éléments par une forme de confiance envers soi-même est effectivement d'une grande sagesse. D'une manière générale, une meilleure connaissance de soi permet de se sentir plus serein, plus heureux et constitue le début d'un cercle vertueux. Alain écrit également : « Ce n'est pas parce que j'ai réussi que je suis content mais c'était parce que j'étais content que j'ai réussi. »

En résumé, adopter un point de vue différent sur les événements qui génèrent du stress s'avère un moyen efficace de mieux y faire face. Pour que cette démarche soit la plus efficace possible, il faut la compléter par une autre approche consistant à essayer de limiter les situations anxiogènes. Bien sûr, il serait illusoire de chercher à contrôler les imprévus susceptibles de survenir dans une vie – ou tout simplement dans une journée de travail. En revanche, de nombreux contextes stressants peuvent être anticipés et préparés, ce qui permet de les supporter bien plus sereinement.

Anticiper et relativiser pour plus de sérénité

Prenons l'exemple d'un voyageur dans un aéroport. La période précédant l'enregistrement s'avère généralement stressante. C'est d'ailleurs là et non dans l'avion que se produisent le plus souvent les accidents cardio-vasculaires ! Nécessité d'arriver en avance, files d'attentes, contrôles de douane et de sécurité ou perspectives d'éventuelles turbulences en vol ne sont effectivement pas très réjouissants. Or, avant de quitter son domicile pour se rendre à l'aéroport, penser à toutes ces situations permet de désamorcer la tension et de moins subir le stress une fois sur place.

Il est tout aussi important de relativiser et de se montrer sélectif envers nos différentes obligations. Distinguer les impératifs de ce qui peut être évité – autrement dit savoir dire non – constitue un autre pas important. Il est dangereux d'agir en cherchant à se faire aimer à tout prix, en construisant ses actes selon l'image que l'on veut renvoyer à autrui. Dans un couple, par exemple, vouloir correspondre à l'idéal de son partenaire peut devenir épuisant dans la durée. Rechercher en permanence l'approbation dans le regard de l'autre comporte des risques. De nombreux couples se construisent ainsi sur des malentendus et n'osent pas être eux-mêmes, ce qui favorise au final les conflits, et donc le stress. Il est normal de ne pas toujours être en phase avec les attentes des autres envers nous, et il faut apprendre à relativiser ce décalage, sous peine de s'essouffler et d'être en permanence déçu de soi-même. Afin d'apprendre à relativiser, je recommande d'effectuer un petit retour en arrière en repensant à des situations passées particulièrement stressantes et en se demandant si la tension éprouvée à ce moment-là était véritablement justifiée. Dans bien des cas, vous finirez par sourire de ce qui vous avait effrayé à l'époque, ce qui vous aidera à prendre plus de recul face à vos difficultés futures.

Le rire : un antistress naturel

Outre ce travail personnel sur l'état d'esprit face aux situations stressantes, il existe un remède simple et naturel pour lutter contre les tensions et l'anxiété : le rire. Ses effets bénéfiques sont à la fois psychologiques et physiques, car de nombreux travaux scientifiques ont prouvé que rire entraînait notamment une augmentation du taux d'endorphine, ce qui contribue à réduire le stress. Le rire est d'ailleurs utilisé dans le cadre du traitement de la dépression. Il existe même des centaines de clubs du rire pour aider les adultes à se relaxer et à lever leurs inhibitions.

Les enfants, eux, n'en ont pas besoin car ils rient beaucoup plus que leurs aînés, qui s'esclaffent seulement 5 minutes chaque jour en moyenne. Il y a d'ailleurs beaucoup à apprendre de nos chers petits, comme nous le verrons. Auparavant, intéressons-nous à un animal hors-norme, dont les particularités se montrent particulièrement intéressantes dans le cadre d'une réflexion sur le stress : la salamandre.

Le secret de la salamandre

Ce batracien est l'un des rares êtres vivants à pouvoir aussi bien marcher que nager comme un poisson. Mais la salamandre possède surtout une capacité de régénération stupéfiante. Si on lui sectionne une patte, celle-ci repousse au bout de quatre mois sans laisser la moindre cicatrice. Cette aptitude à recréer des parties de son corps s'applique également à la queue, la crête dorsale ou le museau. Le plus étonnant est que la perte d'un membre n'affecte presque pas la salamandre, comme l'ont montré les travaux du professeur Savard à l'université de Laval. Deux heures après l'opération, l'animal recommence à s'alimenter et reprend la marche le lendemain.

Des recherches menées en 2007 par une équipe britannique ont permis de mieux comprendre le mécanisme de reconstruction des membres perdus. Lors de l'amputation, des cellules nerveuses de la peau se mettent à produire une protéine appelée nAG qui permet le développement à la racine du membre d'un amas de cellules, le blastème. Il s'agit de cellules immatures – dites mésoblastiques non différenciées – qui sont de véritables petites usines capables de reconstruire le corps.

Cette capacité régénératrice de la salamandre constitue une piste intéressante pour diminuer le stress. Face au drame que peut représenter une amputation, elle ne panique pas et reprend sa vie normalement, en activant dans son organisme des cellules « immatures » aptes à reconstruire l'organe disparu. Or l'homme dispose lui aussi de la possibilité de se régénérer, non pas au niveau physique comme la salamandre, mais au niveau mental. C'est ce qu'on appelle aujourd'hui la « résilience » qui permet la cicatrisation des douleurs psychologiques. Plus les difficultés génératrices de stress sont nombreuses, plus il est nécessaire d'activer les messages stimulant notre force de régénération mentale. Reste à savoir comment y parvenir concrètement. Autant le dire franchement, il n'y a pas de mode d'emploi universel en la matière, mais il existe des pistes à explorer, à commencer par la recherche de notre part d'enfance.

Réveiller les zones immatures de notre cerveau

Comme la salamandre qui puise dans ses cellules immatures pour recréer la vie, nous pouvons tenter de rechercher chez l'enfant qui sommeille au fond de nous la capacité d'imagination et la faculté de tout réinventer pour se régénérer. Cesser d'agir en « grande personne », savoir changer son système de valeur quand on se trouve dans une impasse sont des attitudes positives pour se libérer de l'anxiété. Réveiller les zones immatures créatives de l'enfance aide à retrouver une forme de légèreté et d'insouciance. Les enfants de cinq ans sont d'ailleurs rarement stressés, car leur immaturité et leur capacité à rire les protègent du stress.

Stimuler notre part enfantine et spontanée passe généralement par une rupture dans nos habitudes quotidiennes. Selon les individus, il existe de très nombreuses possibilités pour y parvenir : ne pas s'occuper des courses ou de la maison, laisser pour une fois les enfants s'amuser sans se préoccuper du fait qu'ils prennent leur bain ou rangent leur chambre, s'offrir un goûter avec des gâteaux et des bonbons, aller s'amuser dans une fête foraine... Quelle que soit la méthode, l'essentiel est d'envoyer un petit signal vers l'inconscient ravivant l'enfant qui dort en nous.

Réactiver ces zones immatures de l'inconscient permet de dédramatiser des situations familiales ou professionnelles paraissant inextricables et dans lesquelles une personne peut s'enliser progressivement. Il faudrait parfois inverser les rôles entre adultes et enfants, de façon à ce que les plus jeunes enseignent à leurs aînés l'art de l'immaturité et de la spontanéité pour leur éviter de tomber dans le conformisme, la recherche de performances inadaptées à ce qu'ils sont et le stress chronique qui s'ensuit.

Il est d'ailleurs démontré qu'être entouré d'enfants favorise la longévité des personnes âgées. La possibilité de jouer avec des enfants s'avère essentielle. Un des signes de stress chronique, et *a fortiori* de dépression, est la perte de la capacité ludique et du plaisir qu'elle procure. Cette aptitude à lutter contre le stress en puisant dans notre part d'enfance et d'immaturité constitue aussi une bonne technique pour combattre les états dépressifs survenant quand les situations de stress se prolongent trop longtemps.

En conclusion, le stress n'est en rien une fatalité. Il est possible de le maîtriser à travers un changement dans nos comportements psychologiques et grâce à des gestes simples. Anticiper les contextes anxiogènes pour les désamorcer, refuser de se fixer des objectifs impossibles à tenir, mobiliser sa part d'enfance pour dédramatiser les situations difficiles, s'autoriser des plaisirs basiques rompant avec les frustrations quotidiennes, rire autant que possible ou encore pratiquer une activité physique sont autant de moyens pour y parvenir.

CHAPITRE 6

Éliminez... les germes

« Il n'y a de nouveau que ce qui est oublié. »

Rose Bertin

Pour terminer cette partie sur les menaces cachées qui nous entourent, il me semble indispensable d'évoquer l'importance de certains gestes d'hygiène au quotidien. J'en ai décrit beaucoup dans mon précédent ouvrage, *On s'en lave les mains*, mais je ne me doutais pas que ce livre susciterait autant de réactions, de témoignages et d'échanges. De nombreux lecteurs et patients m'ont questionné sur des sujets auxquels je n'avais pas songé dans un premier temps, illustrant à quel point ce thème est vaste et combien il est difficile d'en faire complètement le tour.

D'autant que parler d'hygiène n'est pas simple car cela met en jeu une part intime parfois difficile à expliquer. En consultation, si un patient n'en parle pas spontanément, il est délicat de lancer la conversation sur l'hygiène, de peur que cela ne soit interprété comme une remise en cause embarrassante. De plus, je dois reconnaître que la durée de ces rencontres ne laisse pas forcément le temps nécessaire pour discuter en détail des gestes d'hygiène. Qui plus est, ceux-ci ne sont pas aisés à appliquer au quotidien tant ils reposent sur la répétitivité et la constance.

Dès lors, de nombreuses personnes, déterminées à prendre de bonnes résolutions, finissent par « laisser tomber » progressivement, atteintes par la lassitude ou le manque de temps. Elles se disent qu'oublier de se laver les mains une fois ne va pas les rendre malades sur-le-champ et, d'une certaine manière, n'ont pas tort. Il reste que la répétition de petites négligences augmente grandement le risque statistique d'apparition de maladies. Reparler d'hygiène est donc pour moi l'occasion de rappeler l'intérêt du respect de quelques principes élémentaires tout en vous donnant de nouveaux conseils pratiques concernant la vie de tous les jours, formulés à partir de nouvelles études scientifiques et d'échanges avec des lecteurs.

Des assiettes pas si propres...

Les appareils électroménagers font rarement l'objet de l'attention qu'ils méritent et le lave-vaisselle n'échappe pas à cette règle. Au point d'être parfois utilisé comme poubelle voire placard... En effet, nombre de gens y mettent leur vaisselle sale directement, sans le moindre rinçage préalable. Rapidement, de nombreux débris alimentaires s'accumulent dans le filtre de l'appareil et commencent à se décomposer. Ce phénomène se traduit d'ailleurs par une odeur particulière à l'ouverture de la porte. L'atmosphère chaude et humide régnant dans les lave-vaisselle constitue en outre un bouillon de culture idéal pour la prolifération microbienne. Si les verres, assiettes et couverts ne sont pas sortis, essuyés et rangés rapidement après la fin du cycle de lavage, les germes vont s'y déposer. Ils auront l'air propres mais seront en réalité souillés et risqueront de transmettre les microbes qu'ils portent lors d'un futur repas.

Le bon réflexe à adopter est évident mais loin d'être systématique : il consiste à ôter tous les résidus alimentaires des différents récipients et à les rincer avant de les placer dans la machine. Ensuite, une fois le lavage terminé, il importe de sécher verres, assiettes et couverts et de les ranger. Enfin, n'oubliez pas de nettoyer le filtre de votre lave-vaisselle à l'aide d'une petite brosse, idéalement après chaque utilisation. Votre appareil ne s'en portera que mieux, et vous avec !

Un apéritif très particulier...

L'industrie agroalimentaire n'a pas son pareil pour faire naître de nouveaux modes de consommation. Depuis quelques années, nous assistons par exemple à un engouement croissant pour des produits apéritifs dont on nous vante la convivialité : les chips et autres bâtonnets à tremper dans un même pot de sauce ou de mayonnaise. Le principe est plutôt sympathique : tout le monde est réuni autour de la table pour partager un moment agréable. Le souci réside dans le fait que bon nombre de convives ont tendance à tremper plusieurs fois un morceau dans lequel ils ont déjà croqué. Dès lors, on partage bien plus qu'un bon moment !

Le docteur Paul Dawson vient de publier une étude sur le sujet démontrant que dans le cas d'un groupe de trois à six personnes, la sauce ainsi utilisée contient environ 10 000 bactéries supplémentaires. Les invités échangent autant de microbes que s'ils s'embrassaient sur la bouche avec la langue... Voilà qui incite à considérer un simple apéritif sous un angle tout à fait neuf !

À vous de voir si vous êtes tenté ou si vous préférez garder vos distances avec les bactéries de votre entourage, en privilégiant par exemple des portions individuelles.

Chacun son verre

Voici un autre cas dans lequel le partage ne constitue pas une très bonne idée : boire à deux dans un même verre. Il arrive souvent au cours d'un repas ou d'une soirée qu'une personne propose à une autre de partager son verre, pour lui faire goûter un vin, un cocktail de jus de fruits ou simplement lui proposer de finir sa boisson. Or, comme tous les objets en contact avec la bouche, un verre peut servir de vecteur de transmission de bactéries ou virus, comme l'a prouvé une étude réalisée en Suède sur des sujets atteints d'hépatite A. Huit cas étudiés partageaient la même origine : les sujets touchés avaient tous fréquenté le même pub, dont le barman était lui-même contaminé par le virus qu'il avait transmis en manipulant les verres. D'autres virus comme celui de l'herpès se transmettent de la sorte.

Il me semble sage de considérer qu'un verre est personnel, comme une brosse à dents, et qu'il vaut mieux éviter de l'échanger avec autrui. Dans les situations où il paraît difficile de refuser ce partage de peur de froisser la personne, je recommande de tourner le verre pour boire du côté non utilisé. Enfin, dans un café ou un restaurant, si un verre ne vous semble pas propre, n'hésitez pas à en demander un autre ou, à défaut, essuyez-en le tour avec une serviette en papier.

Ces réflexes simples contribueront à vous éviter de très mauvaises surprises comme la survenue d'une hépatite...

Soyons clairvoyants envers nos lunettes

Restons dans le domaine des accessoires pour évoquer les lunettes. Simple outil de travail pour les uns, véritable élément de style pour les autres, elles constituent pour tous une occasion supplémentaire de contact avec les mains. En effet, une personne porte les mains à son visage en moyenne deux fois par heure pour se lisser les cheveux, se gratter, s'essuyer le bord des lèvres ou simplement appuyer la tête dans sa paume. Chez les porteurs de lunettes, cette fréquence augmente, qu'il s'agisse de les retirer, les remettre, les remonter légèrement sur l'arête du nez ou les porter à la bouche en mordillant les branches.

Les germes présents sur les doigts vont donc se retrouver sur les verres ou la monture des lunettes, qui vont ensuite traîner n'importe où – par exemple au fond d'un sac à mains où elles récupéreront d'autres microbes... Autre source possible de germes : les fines gouttelettes de salive projetées par les interlocuteurs ce qui, en cas de rhume ou de grippe fait croître sensiblement les risques de contamination. Au total, c'est presque une armada de microbes qui menacent d'envahir les « carreaux ».

Des recherches menées sur l'état microbien des lunettes, notamment chez les individus présentant des staphylocoques dorés dans le pharynx et les fosses nasales, l'ont prouvé. Ces germes contagieux sont à l'origine de nombreuses infections sévères, notamment cutanées. Il existe une complication, certes rare, mais très grave : la staphylococcie maligne de la face, une affection pouvant engager le pronostic vital. Le rôle des lunettes dans la transmission de ces staphylocoques ne fait guère de doute, puisque les chercheurs en ont

retrouvé sur les montures de 67 % des individus atteints !
Un taux qui n'a rien de négligeable.

Pour éviter les infections inutiles, la meilleure prévention reste un nettoyage quotidien des verres et de la monture. Il faut laver soigneusement chaque côté avec une
lingette et une substance nettoyante – savon liquide ou
alcool – pour la transparence des verres. Ce geste simple
permet d'y voir plus clair et de diminuer de façon non
négligeable les risques d'infection.

Cette nécessité a d'ailleurs été confirmée par une nouvelle étude, la plus récente sur le sujet. Réalisée en
mars 2008 par le docteur Fabien Squinazi du laboratoire
d'hygiène de la Ville de Paris[1], elle confirme que « les
paires de lunettes peuvent être fréquemment contaminées par des bactéries commensales de la peau (staphylocoques) ou du tube digestif (*escherichia coli*) mais aussi
par des bactéries saprophytes des milieux de l'environnement, telles que surfaces et poussières (*bacillus, pantoea*). La contamination résulte de leur contact avec la
peau du visage, des mains ou des cheveux, lorsqu'elles
sont portées sur la tête, et de toutes les surfaces et poussières de l'environnement domestique et professionnel. »

L'étude ajoute : « Un petit nombre de paires de
lunettes (4 sur 23) renferment des bactéries connues pour
leur pouvoir pathogène pour l'homme : *staphylococcus
aureus, escherichia coli*. Selon leur virulence, leur quantité et la susceptibilité de l'hôte (rupture des barrières
cutanéo-muqueuses, immunodépression...), ces bactéries
au potentiel pathogène pourraient être à l'origine d'un
processus infectieux. »

---

1. Voir annexe 1.

Et de conclure : « Afin d'éviter que les lunettes ne soient un vecteur de contamination bactérienne, surtout dans des lieux à haut risque (établissement de santé, restauration collective, secteurs pharmaceutique, agro-alimentaire ou cosmétique, laboratoires, etc.), il s'avère indispensable de ne pas oublier de les nettoyer entièrement (verres et montures), au mieux quotidiennement. »

Suivons donc les excellents conseils du docteur Fabien Squinazi ! Les lunettes que nous portons toute la journée sur le nez, dont nous suçons parfois les branches et sur lesquelles certains de nos interlocuteurs postillonnent méritent cette toilette journalière, tant pour les verres que pour la monture. Chaque matin nous changeons de vêtements, nous nous brossons les dents... Adoptons aussi le réflexe de nettoyer nos lunettes !

Vacances à haut risque

Lorsqu'on revient de vacances, la perspective de la rentrée rend grande la tentation de ranger au plus vite palmes, tubas, masques ou tenues de ski, gants et autres bonnets... sans les laver. Une aubaine pour les germes, qui vont profiter de l'humidité résiduelle et proliférer de longs mois durant.

Cela explique les innombrables réflexions souvent entendues de personnes s'étonnant de tomber malades uniquement quand elles partent en vacances. Beaucoup se disent qu'elles sont vraiment des employées modèles, qui attendent les vacances pour contracter une affection, ou qui n'ont tout simplement pas de chance. Les causes supposées de leurs symptômes partent parfois dans des directions psychologiques très variées : « Je ne supporte pas d'être éloigné de ma maison, cela doit être inconscient », « L'air de la campagne ou de la mer ne me réussit pas du tout », « Je ne suis bien que lorsque je travaille », « J'ai dû attraper froid avec la climatisation de l'avion », « Il y avait des courants d'air dans la gare », etc. Les pathologies associées s'avèrent souvent d'ordre infectieux : rhumes, rhinopharyngites, bronchites, angines ou allergies respiratoires et leur apparition ne doit rien au hasard.

Or ces ennuis proviennent tout simplement des germes et acariens qui ont eu le temps de se développer dans les accessoires et les vêtements non lavés depuis les congés précédents et qui, une fois sortis du placard où on les avait remisés, vont projeter des millions de microbes dans l'air.

Pour éviter de gâcher ses congés avec ces embarras, je recommande donc de bien nettoyer, sécher et aérer chaque objet avant de le ranger dans un endroit propre et sec. S'il est stocké dans une cave légèrement humide et mal aérée, il sera nécessaire de recommencer l'opération avant le départ en vacances, histoire d'éviter toute mauvaise surprise.

Une démarche active... et esthétique

Le dernier élément que je tenais à aborder dans ce chapitre concerne l'hygiène dans son sens le plus large. Car une bonne hygiène de vie n'est pas qu'une simple succession de petits gestes, c'est une attitude à part entière, une démarche quotidienne active visant à rester en bonne santé et à préserver celle des autres. Les moments passés à s'occuper de soi doivent être vécus non comme des contraintes mais comme de courts instants de bien-être, des phases positives. L'hygiène aide à mieux se construire chaque jour en se protégeant des menaces extérieures mais intègre aussi une notion d'esthétique. En effet, une maison bien rangée, des vitres transparentes à travers lesquelles les rayons du soleil passent bien, des vêtements propres et bien repassés, des cheveux bien peignés, des odeurs corporelles agréables sont autant de facteurs qui contribuent à l'équilibre personnel et à la qualité de vie.

À l'inverse, les sujets dépressifs ont généralement tendance à se négliger, à laisser tomber les règles d'hygiène. Les troubles dont ils souffrent les poussent à se laisser aller, accentuant encore leur sensation d'isolement et soulignant une dérive vis-à-vis d'eux-mêmes et des autres. Pour eux aussi, des gestes basiques et simples peuvent s'avérer utiles, comme nettoyer ses lunettes pour éviter de se contaminer par de petites infections ou bien se laver les mains afin d'éliminer des germes. Tous ces gestes constituent une succession de bonnes actions qui traduisent un échange positif et sincère entre soi et les autres. Il serait excessif de parler de philosophie, mais cela s'en approche.

Pour conclure, je rappellerai que l'un des grands avantages de l'hygiène, c'est qu'elle repose sur des pratiques très simples, nécessitant très peu de moyens mais donnant d'excellents résultats sur la santé. Nul besoin de s'entourer d'un arsenal technologique ou médicamenteux pour y parvenir. Je l'ai souvent constaté, en particulier lors de plusieurs voyages en Inde. Comme l'écrivit Ovide, « c'est l'élégance simple qui nous charme ». Les femmes indiennes illustrent parfaitement ces propos. Même dans les milieux les plus démunis, marqués par une grande pauvreté, elles gardent un sari soigné et repassé, des cheveux longs et noirs parfaitement coiffés dans lesquels des fleurs cueillies sur le chemin font souvent office de barrette. Elles se tiennent droites et enlèvent délicatement leurs chaussures en entrant dans les habitations. Cette volonté de maintenir une hygiène irréprochable malgré les conditions environnantes leur confère une élégance qui manque à de nombreux Occidentaux. Au-delà de la prévention des maladies infectieuses, l'hygiène représente donc aussi une façon différente d'évoluer dans le monde, de rechercher une forme de pureté et d'harmonie. Aux bienfaits plus profonds qu'on ne l'imagine.

DEUXIÈME PARTIE

Une alimentation plus saine

L'espèce humaine est aujourd'hui confrontée à un paradoxe particulièrement frappant. Après avoir lutté ardemment contre la famine durant la plus grande partie de son histoire, elle doit aujourd'hui faire face à la menace inverse : l'excès d'alimentation. L'obésité figure au rang des préoccupations majeures de santé publique et touche en priorité les populations les plus pauvres, contrairement à ce qu'on pourrait penser spontanément. Cela tient à nos choix alimentaires qui accordent une place beaucoup plus importante qu'autrefois aux produits gras et sucrés. Dès lors, de plus en plus de gens se lancent dans des régimes à répétition sans résultats, tandis que d'autres se retrouvent exposés à des maladies lourdes de conséquences comme le diabète. Pour compliquer le tout, de multiples facteurs génétiques entrent en ligne de compte, rendant dangereux pour les uns des aliments bénéfiques à d'autres ! Bref, bien se nourrir s'assimile parfois à un véritable challenge. D'autant que de nombreuses idées reçues circulent sur la nutrition... Voici une foule d'informations et de conseils pour y voir plus clair.

CHAPITRE 7

Éliminez... vos kilos en trop

*« Scrupule. Poids léger qui suffit
à faire pencher une balance. »*

Jules Renard

Au Panthéon des vastes sujets, l'alimentation mérite sans conteste une place de choix. Tout semble avoir été dit et expliqué sur ce point, et pourtant une réalité perdure : spontanément, la plupart des gens pensent qu'ils ont des kilos à perdre. Nous pourrions disserter longtemps sur l'importance des phénomènes de mode, le culte du corps parfait, etc., mais cela ne vous avancerait guère. Pour simplifier les choses, les médecins ont mis au point une méthode de calcul qui permet à chacun d'évaluer très simplement la nécessité réelle de maigrir ou non. Cet outil est appelé indice de masse corporelle ou IMC.

Avant de parler régime, sortez votre calculette

L'IMC correspond au poids en kg divisé par la taille en mètre au carré. Par exemple, si vous mesurez 1,65 m et pesez 53 kg, vous divisez 53 par (1,65 x 1,65) pour obtenir votre IMC, ce qui donne 19,5. Si vous atteignez 1,80 m pour 85 kg, votre IMC est de 85 divisé par (1,80 x 1,80) soit 26,2. Le résultat vous permet de vous situer immédiatement dans l'une des quatre catégories suivantes : en cas d'IMC inférieur à 18,5, vous êtes très mince voire maigre ; entre 18,5 et 25, votre poids est jugé normal ; entre 25 et 30 vous avez de l'embonpoint, il faut alors commencer à envisager de perdre quelques kilos. Au-delà de 30, on parle d'obésité, qualifiée de morbide lorsque l'IMC dépasse 40. La perte de poids devient alors une nécessité médicale et doit être très sérieusement encadrée.

L'IMC s'avère particulièrement utile parce qu'il permet de fixer l'échelle des risques liés à un éventuel surpoids. En effet, plus le poids d'un individu augmente, plus les facteurs de risques sur sa santé se développent. Les compagnies d'assurance connaissent bien ce lien, en particulier aux États-Unis où les primes sont plus chères pour les personnes en surpoids : les assureurs considèrent en effet que la mortalité augmente dès 5 kilos en trop.

Bien peser les dangers du surpoids

De fait, l'excès de poids est responsable de nombreuses maladies. Il agit comme un tueur silencieux qui, lentement, au fil des années, va entraîner de nombreux dégâts dans l'organisme : hypertension artérielle, diabète et même certains cancers, pour ne citer que quelques exemples. L'espérance de vie moyenne d'une personne obèse est d'ailleurs de dix ans inférieure au reste de la population. Or l'obésité se propage actuellement comme une véritable épidémie, touchant chaque jour davantage d'enfants, de plus en plus tôt. Elle concerne désormais un quart de la population américaine et près de 10 % des Français.

Devant ce constat, on ne peut que s'alarmer et ressentir l'envie légitime d'éliminer nos éventuels kilos en trop, le plus vite possible. Et surtout de façon durable. Or, on le sait très bien désormais, c'est là que commencent les difficultés. 95 % des personnes entamant un régime échouent dans les deux ans qui suivent. Au départ, elles vont maigrir, car beaucoup de régimes – même les plus invraisemblables – sont efficaces les premiers temps. Ils reposent en effet sur un principe commun : la lassitude par la répétition. Cela fonctionne quelques jours, au mieux quelques semaines, mais les effets à long terme sont systématiquement négatifs.

Le régime blanquette de veau, ça marche !

Prenons un exemple : imaginez un régime à base du plat que vous préférez. Il faudra simplement le manger midi et soir, à volonté, mais sans rien prendre d'autre. Au début, cette méthode va s'avérer efficace, par un mécanisme très simple à comprendre. Si vous avez choisi la blanquette de veau, le premier jour, vous allez vous régaler et en reprendre plusieurs fois de suite. Le lendemain un peu moins, et les jours suivants de moins en moins. Au bout d'une semaine vous n'en pourrez plus, vous ne supporterez plus ce plat : votre consommation va donc se réduire encore jusqu'à ce que votre apport calorique soit si faible que votre corps ait besoin de puiser dans ses réserves. Vous allez donc perdre du poids. Vous rêverez de poisson, de fruits, de pâtisseries et la simple odeur de la blanquette vous écœurera. À l'issue de votre régime, vous aurez perdu plusieurs kilos en peu de temps. Mais une fois libéré de cette alimentation monotone, vous vous précipiterez sur tout ce qui vous tombera sous la fourchette et vous reprendrez dans la semaine les kilos perdus. C'est ce qu'on appelle le principe du yo-yo. Et comme l'organisme n'aime pas ce style de sport, le poids stabilisé obtenu a toutes les chances de dépasser le poids initial. Résultat, le régime est à la fois déceptif et nocif pour la santé. Pourtant, beaucoup de régimes reposent sur ce dénominateur commun : « régime ananas », « régime tout cru »... impossible d'en faire une liste exhaustive. De toute façon, ils se révèlent tous inefficaces à long terme.

Dès lors, on pourrait être tenté de rechercher des solutions du côté des médicaments. Las ! Celles-ci restent aujourd'hui très limitées. On peut d'ailleurs s'en féliciter dans la mesure où des produits comme les extraits thyroïdiens ou les coupe-faim à base d'amphétamines ne sont plus prescrits. Ils étaient certes efficaces, mais surtout dangereux pour la santé.

En résumé, qu'il s'agisse des régimes « miracles » ou des médicaments, le constat est le même : l'échec. Alors comment éliminer sans risque les kilos en trop et s'assurer de ne pas les reprendre, même à long terme ? Il existe heureusement plusieurs approches qui fonctionnent, le tout est de ne pas se tromper et de choisir celle qui convient le mieux aux particularités de chacun.

Sept kilomètres de jogging font perdre l'équivalent... d'un croissant !

Pour débuter, partons du plus évident : l'excès de poids résulte d'un déséquilibre entre les entrées et les dépenses. Dès lors, pour perdre du poids, il faut logiquement commencer par augmenter les dépenses énergétiques en bougeant davantage : privilégier les escaliers au lieu de l'ascenseur, descendre deux stations de métro ou d'autobus plus tôt afin de marcher constituent de bons réflexes.

L'idéal est de pouvoir effectuer trente minutes de marche par jour de façon continue. J'insiste sur la nécessité de ne pas s'arrêter car dans les vingt premières minutes on ne brûle que des sucres. Ce n'est qu'ensuite qu'on commence à « attaquer » les graisses. Et bien sûr, un pas rapide est plus efficace qu'une démarche lente et quarante minutes mieux que vingt... Par ailleurs, au bout de quarante minutes d'exercice, l'organisme libère des endorphines. La marche quotidienne diminue en tout cas les facteurs de risque cardiovasculaires et contribue à réduire la surcharge pondérale. Attention pourtant, cela ne fait pas tout. Ainsi, je me dois de souligner que sept kilomètres en jogging font perdre l'équivalent en calories d'un croissant ! Ce rapport souligne à quel point nous devons bouger pour éliminer les calories fournies par l'alimentation.

Bien sûr, les apports caloriques doivent être adaptés à l'activité et aux conditions de vie de chacun. Ainsi, entre un bûcheron et une secrétaire, les besoins sont différents, de même qu'entre un habitant de la Sibérie et des Seychelles : les dépenses caloriques pour maintenir la température corporelle à 37 °C n'ont rien de comparable.

Quoi qu'il en soit, notre société suit plutôt une tendance de plus en plus sédentaire. Nous bougeons globalement moins que nos aïeux, sans que nos apports énergétiques aient diminué. D'ailleurs, autant le dire sans détours, je ne crois pas trop aux grandes décisions en matière d'exercice physique. « Je vais m'inscrire à un club de sport », « je vais faire une heure de jogging tous les jours »... Ces bonnes résolutions, généralement sincères, ne marchent en général que quelque temps. Très vite, le manque de disponibilité pour se rendre dans la salle de gymnastique ou d'envie d'aller courir parce qu'il pleut vont prendre le dessus et laisser s'installer un immense sentiment de culpabilité. Se donner des objectifs impossibles à tenir est la meilleure façon d'échouer.

Pour certains, je recommande plutôt l'exercice à la maison : quelques mouvements de gymnastique et d'assouplissement, un vélo d'appartement ou des haltères s'avèrent plus faciles à adopter dans la durée. Choisissez ce qui vous attire le plus, vos efforts n'en seront que plus agréables. Pour être efficaces, les exercices doivent être pratiqués avec une grande régularité : au moins trois fois par semaine durant trente minutes. Afin de tenir ce rythme et d'éviter ennui et lassitude, il est tout à fait envisageable de pratiquer cette activité physique en regardant votre programme télé favori !

Mais l'élément le plus important n'est – une fois n'est pas coutume – pas d'ordre pratique. Profiter des effets à long terme de l'activité physique nécessite une certaine rigueur qui va bien au-delà de la résolution temporaire. Dès lors, un véritable changement d'état d'esprit est nécessaire : il me semble indispensable de classer l'exercice physique régulier comme un devoir, un geste d'hygiène nécessaire, exactement comme le fait de se laver les dents avant d'aller se coucher par exemple. Les résultats visibles ne se feront pas attendre et s'accompagneront d'une sensation de mieux-être évidente.

En bref, augmenter ses dépenses énergétiques nécessite de modifier en profondeur ses habitudes, mais si l'on s'y tient, les bénéfices sont réels, à la fois sur la perte de poids et sur la forme générale. Surtout s'ils vont de pair avec un nouveau comportement envers la nourriture, comme nous allons le voir.

Cinq minutes qui changent la donne

Les personnes qui surveillent leur alimentation raisonnent généralement en termes de quantité d'aliments ingérés, d'apports caloriques, de répartition lipides/protides/glucides, etc. Ils se transforment parfois en experts-comptables de la nourriture mais négligent un aspect déterminant : leurs propres sensations. Or cet élément est crucial, car suivre un régime alors qu'on a faim en permanence constitue un véritable calvaire qu'il est quasi impossible de supporter dans la durée.

D'ailleurs, comment savons-nous que nous devons arrêter de manger ? Existe-t-il des signaux envoyés par notre organisme et faut-il les guetter ? Bien peu d'entre nous le savent, mais le corps dispose effectivement de plusieurs dispositifs pour stopper la sensation de satiété. Le premier se situe au niveau périphérique : notre estomac est muni de récepteurs à la pression qui sont stimulés lorsqu'il est plein. Cela procure souvent une sensation de plénitude... et impose à certains de se dégrafer pour se sentir plus à l'aise en fin de repas. De fait, ce système présente une limite forte : les signaux des barorécepteurs de l'estomac ne sont transmis que lorsqu'il est complètement rempli ! Quand on connaît la capacité d'un estomac, on comprend que ce mécanisme ne suffit pas à lui seul à réguler la consommation d'un individu. Rappelons qu'un adulte européen consomme environ 500 kg de nourriture par an et qu'un estomac contient en moyenne 1,5 litre, soit le volume d'une grande bouteille d'eau... Ce chiffre atteint même 12 litres chez le cheval, d'où l'expression néerlandaise « *honger als een paard hebben* » qui signifie « avoir une faim de cheval ».

Qu'on ait une faim de cheval ou de loup, elle est stimulée au niveau du cerveau par un centre de l'appétit. Heureusement, il existe aussi un centre de la satiété. Toute la difficulté est d'obtenir à temps un signal efficace de ce dernier afin de ne pas commettre d'excès inutile. Le problème est que ce signal est relativement lent. Par conséquent, si l'on mange vite sans faire attention à ce que l'on avale, en enchaînant très rapidement les différents plats, il n'a pas le temps d'arriver au cerveau et la sensation de faim s'avère toujours présente à la fin du repas, donnant envie de se resservir. Inutile d'espérer maigrir dans ce contexte !

Pour y parvenir, ou simplement stabiliser votre poids, je vous propose une technique qui donne d'excellents résultats à long terme. Avant de consommer un plat, quel qu'il soit, divisez-le en deux avec votre couteau. Quand vous arrivez à la première moitié, attendez exactement cinq minutes avant de continuer, même si la préparation vous fait très envie. De même, si vous souhaitez vous resservir, marquez une nouvelle pause de cinq minutes avant de continuer, ainsi qu'entre chaque plat (entrée, plat principal et dessert). En adoptant ce réflexe, vous allez progressivement rééduquer votre centre de l'appétit et ainsi changer votre comportement, en sortant d'une forme d'aliénation consistant à manger rapidement pour ne pas perdre de temps. Peu à peu, vous n'aurez plus envie de finir systématiquement votre assiette ou de reprendre d'un plat, non par dégoût ou lassitude, mais tout simplement parce que vous n'aurez naturellement plus faim ! Bien sûr, cette méthode semblera coûteuse en temps à certains, mais le bénéfice possible est loin d'être négligeable. D'autant que, outre les kilos en moins, rester plus longtemps à table permet aussi de profiter des moments de convivialité et d'échange qu'offrent les repas !

Dans cette optique, il ne faut d'ailleurs pas oublier les enfants, qui sont parfois impatients de sortir de table. Il n'est sans doute pas inutile de remettre en cause certaines règles d'éducation souvent appliquées, comme celle consistant à leur imposer de finir leur assiette même s'ils n'ont plus faim. Une fois adultes, ils risquent de continuer à finir leur assiette – et les calories qui vont avec – même s'ils sont rassasiés, simplement pour rester inconsciemment le gentil petit enfant qui fait plaisir à ses parents. Sans rentrer dans la caricature, il convient de trouver un équilibre entre l'apprentissage d'une bonne alimentation et la nécessité de ne pas gaspiller la nourriture. Enfin, les parents ont tout à gagner à associer leurs enfants dans la découverte ou la redécouverte des sensations liées à la satiété : cela les aidera à adopter des comportements alimentaires sains et permettra à toute la famille de rester en pleine forme.

En résumé, trouvez l'activité physique qui vous convient et apprenez à écouter les signaux de votre corps : vos kilos superflus disparaîtront d'eux-mêmes, peut-être pas tout de suite, mais en tout cas pour longtemps si vous conservez cette nouvelle hygiène de vie.

CHAPITRE 8

Éliminez... le sucre en excès

*« La vertu accouplée à la beauté, c'est le miel
servant de sauce au sucre. »*

William Shakespeare

Le sucre, comme l'oxygène que nous respirons ou l'eau que nous buvons, est nécessaire à la vie car il nous apporte de l'énergie et constitue un carburant essentiel pour le cerveau. Toutefois, aussi indispensable qu'il soit pour notre équilibre alimentaire, le sucre doit être consommé avec modération. Or un comportement très répandu comme la gourmandise, ou simplement une alimentation déséquilibrée, suffit à provoquer une consommation trop élevée, augmentant ainsi le danger que des pathologies surviennent.

Comme nous allons le voir, celles-ci sont bien éloignées de la simple carie à laquelle on associe souvent le sucre. Quel enfant n'a d'ailleurs jamais entendu la formule « si tu manges trop de bonbons, tu auras des caries » ? Ce laïus aurait besoin d'une mise à jour pour deux raisons. D'abord parce qu'un enfant de sept ans aujourd'hui a d'ores et déjà consommé autant de sucre que son grand-père durant toute sa vie ! Cela n'est pas dû qu'à une plus grande consommation de bonbons, c'est toute l'alimentation moderne qui est plus sucrée que celle de nos ancêtres. Ensuite parce qu'à côté des maladies qui guettent les consommateurs excessifs de sucre, les caries font presque figures d'anecdotes.

Le spectre du diabète

Au premier rang de ces pathologies figure le diabète, dont l'ampleur est en constante augmentation à l'échelle internationale. En 1998, on dénombrait 143 millions de diabétiques à travers le monde avec une prévision en 2025 de plus de 300 millions, dont 2,4 millions en France. Le diabète y est par ailleurs devenu la première cause de cécité qui en constitue l'un des effets les plus graves. Il est donc urgent de réagir en recherchant les causes d'une telle flambée, qui touche toutes les tranches de la population. L'urgence est d'autant plus grande que le diabète agit en tueur silencieux. Un excès de sucre dans le sang ne provoque en effet aucune douleur. Mais progressivement, des complications apparaîtront, certaines pouvant s'avérer particulièrement graves.

Pour comprendre cette maladie, il faut savoir qu'elle perturbe le stockage et l'utilisation du glucose par l'organisme. Ce glucose provient de deux sources : des aliments riches en glucides que l'on consomme ou du foie qui est capable de le stocker et de le déverser dans le sang selon les besoins. Dans les deux cas, l'organisme est tributaire de l'insuline car cette substance va permettre au glucose contenu dans le sang de passer dans les cellules.

Deux causes sont susceptibles de perturber ce mécanisme. Soit le pancréas présente une difficulté (partielle ou totale) à sécréter de l'insuline, soit les cellules n'arrivent pas, par résistance à l'insuline, à « consommer » tout le glucose contenu dans le sang. Dans les deux cas, le glucose en excès va s'accumuler dans le sang, se stocker sous forme de graisse et constituer un terrain favorable à la survenue de diverses complications.

Afin que ce rapide descriptif soit complet, précisons qu'il existe deux grands types de diabète. Celui de type 1, dit insulinodépendant, atteint plus volontiers les enfants et les jeunes, d'où son nom de diabète juvénile. Il découle d'un problème fonctionnel du pancréas qui ne produit plus ou pas assez d'insuline. Cette variante concerne environ 10 % des diabétiques.

Le diabète de type 2 est quant à lui souvent appelé diabète de l'adulte car il survient majoritairement chez des personnes d'une quarantaine d'années ou plus. Il se caractérise par une résistance de l'organisme envers l'insuline. Le pancréas continue à en produire, mais le corps ne parvient plus à l'utiliser pour permettre l'assimilation du glucose. Ce diabète concerne 90 % des diabétiques et augmente constamment. Il est bien entendu lié à l'alimentation, et en particulier à la consommation de sucre. Étant donné que ses symptômes sont imperceptibles durant les premiers temps, il s'avère difficile de diagnostiquer précocement le diabète de type 2. Pourtant, comme souvent en médecine, plus il est détecté tôt, plus les traitements mis en place vont se montrer efficaces. Les chercheurs ont donc développé un outil d'évaluation destiné à évaluer le niveau de risque diabétique auquel un sujet est confronté : le syndrome métabolique.

Êtes-vous atteints par le syndrome métabolique, qui multiplie par trois le risque de diabète ?

Ce syndrome correspond en fait à quatre critères qui sont autant d'avertisseurs. Si trois d'entre eux sont réunis, cela signifie qu'il faut changer d'urgence ses habitudes alimentaires, son mode de vie et faire davantage d'exercice. Ces quatre critères ont été clairement définis par l'Organisation mondiale de la santé :

— un tour de taille (qui peut être mesuré avec un mètre de couturière) supérieur à 88 centimètres pour une femme et 102 cm pour un homme ;

— un taux de HDL cholestérol inférieur à 0,9 mmol/l ;

— une pression artérielle supérieure à 130/85 mm Hg ;

— une glycémie supérieure à 1,10 gramme/litre de sang.

Certains organismes de santé, comme le NCEP aux États-Unis (un organisme chargé de lutter contre l'excès de cholestérol) ont ajouté un cinquième critère : un taux de triglycérides dans le sang supérieur à 1,5 g/l.

Quand trois de ces critères sont cochés chez un sujet, il se trouve dans un état qualifié de pré-diabétique ; le risque de diabète ou d'accident cardio-vasculaire se trouve alors multiplié au moins par trois et jusqu'à dix en fonction de l'amplitude du syndrome.

Or dans le contexte actuel, où la surcharge pondérale et la sédentarité sont devenues monnaie courante, le nombre de personnes touchées par le syndrome métabolique ne cesse d'augmenter, au point de concerner près d'un individu sur quatre dans les pays développés. Chacun a donc tout intérêt à « se surveiller » en gardant en tête ces critères. Bien sûr, il ne s'agit pas d'effectuer des prises de sang à tout va, ni de passer son temps à mesurer son tour de taille, mais il faut éviter l'excès inverse consistant à se croire à l'abri de la menace que représente le diabète. Rappelons en effet qu'une personne atteinte par le syndrome métabolique ne se plaint généralement de rien, puisqu'il est asymptomatique dans les premiers temps. Et pourtant le danger est bien là, comme une sorte de bombe à retardement. Deux éléments augmentent encore le risque : l'âge tout d'abord (plus il est élevé, plus la proportion de diabétiques est forte), les prédispositions génétiques ensuite, même si ces dernières restent à préciser et ne suffisent pas à expliquer l'amplitude du phénomène.

Quoi qu'il en soit, la prévention du diabète constitue aujourd'hui une priorité de santé publique, les complications provoquées par cette maladie étant nombreuses et sévères. Or près d'un diabétique sur deux va être victime d'au moins une d'entre elles durant sa vie.

Infarctus, gangrène, cécité : des menaces bien réelles

L'évolution du diabète dépend de son type, de son ancienneté et donc de la précocité du diagnostic. Ainsi, de nombreux dégâts découlent de l'ignorance de la maladie. Ne se sachant pas atteint, le sujet ne modifie pas son hygiène de vie et continue donc à faire peu d'exercice et à consommer trop de sucre, aggravant son état et favorisant la survenue de maladies, notamment cardiovasculaires. Celles-ci se révèlent en effet plus fréquentes chez les diabétiques, à commencer par l'angine de poitrine et l'infarctus du myocarde, avec une particularité pour ce dernier : il peut survenir sans aucune douleur, sans que le malade en prenne conscience, du fait de l'altération des circuits nerveux due au diabète. De nombreux infarctus sont ainsi découverts a posteriori, à l'occasion par exemple d'une consultation pour un essoufflement prononcé. En tout cas, la gravité est la même, que l'infarctus soit douloureux ou pas.

D'autres complications cardio-vasculaires sont à craindre, comme un accident vasculaire cérébral entraînant des déficits neurologiques résiduels variables. Concrètement, cela se traduit par des hémiplégies ou par l'artérite – autrement dit, la réduction du diamètre des artères – des membres inférieurs, laquelle se manifeste d'abord par de simples crampes dans les mollets. Elles apparaissent soit la nuit, imposant au sujet de laisser pendre ses jambes hors du lit pour être soulagé, soit pendant la marche ce qui oblige à s'arrêter. Cette réduction du périmètre de marche constitue un facteur de gravité : souvent, plus il est court, plus le diamètre de l'artère est réduit. Les personnes victimes de crampes régulières lorsqu'elles marchent doivent donc impérativement signaler ce trouble à leur médecin traitant car il est possible que ce symptôme cache une artérite découlant d'un diabète non traité. Outre leur aspect handicapant au quotidien, ces artérites des membres inférieurs entraînent une mauvaise oxygénation des tissus provoquant l'apparition d'ulcères des jambes et de complications infectieuses fréquentes. Dans certains cas, une gangrène survient et la solution thérapeutique qui s'impose dans les situations extrêmes reste aujourd'hui encore l'amputation.

Le diabète s'attaque également aux reins. La néphropathie diabétique est d'ailleurs connue des spécialistes : elle touche les petits vaisseaux rénaux jusqu'à induire une insuffisance rénale plus ou moins avancée nécessitant souvent une dialyse. Les nerfs ne sont pas épargnés, leur altération se traduit par des douleurs diverses, une diminution de la sensibilité, des picotements et des tiraillements. Cela impose une vigilance particulière car les

diabétiques peuvent être victimes d'infarctus du myocarde sans s'en rendre compte ou de lésions sans douleurs associées, notamment au niveau des pieds.

L'altération de la vue constitue une autre conséquence
fréquente : qu'il s'agisse de cataractes, de glaucomes ou
de lésions du nerf optique, les pathologies oculaires dues
au diabète sont nombreuses et conduisent trop souvent à
la cécité. Pour clore ce tableau peu réjouissant, précisons
que les diabétiques se montrent beaucoup plus sensibles
aux infections et constituent ainsi une population à risque
par rapport aux bactéries et aux virus. Les germes n'ont
rien contre l'excès de sucre dans le sang, ni contre la
mauvaise oxygénation des tissus qui constitue pour eux
un terrain propice. Il existe enfin des complications
aiguës du diabète liées à des hypoglycémies résultant
d'erreurs thérapeutiques ou d'un régime inadapté et
allant jusqu'à des comas. Ceux-ci peuvent être de nature
hyperglycémique chez des patients non traités, mais c'est
plus rare dans les pays développés.

En bref, la gravité et la diversité des complications du
diabète démontrent la nécessité absolue de se montrer
particulièrement vigilant envers cette maladie. Mais
concrètement, que pouvons-nous faire au quotidien ?

Éliminez les risques, pas le sucre

Le premier réflexe à adopter est très simple : connaître son
taux de sucre dans le sang, pour savoir si l'on se situe dans
un contexte à risque ou non. L'examen s'effectue dans n'importe quel laboratoire d'analyses médicales par une simple
prise de sang, ce qui permet également de vérifier les critères
du syndrome métabolique. Sachez qu'il existe également des

autotests vendus en pharmacie qui fournissent instantanément le taux de sucre sanguin. Si ce taux s'avère trop élevé,
il faut consulter son médecin traitant sans attendre : il mettra
en place les mesures adaptées, aussi bien au niveau du traitement médicamenteux que sur le plan de l'hygiène de vie. Cet
élément s'avère déterminant dans la lutte contre le diabète et
doit être bien spécifié selon chaque individu.

Mais il existe tout de même des principes généraux
applicables par tous au quotidien. L'écueil à éviter coûte
que coûte consiste à vouloir bannir le sucre de son alimentation. Répétons-le, cet élément est essentiel à la vie
et au bon fonctionnement de l'organisme. Il n'est pas
dangereux en tant que tel mais le devient lorsqu'il est
consommé en excès. L'enjeu est donc de trouver un équilibre entre les apports en sucre et les dépenses énergétiques afin d'éviter que le sucre ne se retrouve en trop
grande quantité dans le sang. Cet équilibre dépend du
contexte familial et génétique de la personne, ainsi que
de son mode de vie. Un sportif peut s'autoriser davantage de sucreries qu'un sédentaire. Mais une chose est
sûre : chacun d'entre nous a intérêt à pratiquer une activité physique régulière.

Pour comprendre cette nécessité, il n'est pas inutile de
se pencher un instant sur la préhistoire. Pour survivre,
nos ancêtres devaient chasser, dépenser beaucoup d'énergie et se contenter au final de peu de nourriture. Notre
système génétique et hormonal est donc organisé pour
stocker des réserves chaque fois que nous mangeons.
Aujourd'hui, nos habitudes alimentaires se sont totalement transformées. L'avantage sélectif dont nous dispo-
sions il y a des milliers d'années s'est transformé en un
véritable handicap. À nous d'y prendre garde et de savoir
nous adapter à cet héritage.

CHAPITRE 9

Éliminez... l'alcool

*« J'ai retiré plus de choses de l'alcool
que l'alcool ne m'en a retiré. »*

Winston Churchill

À l'heure du politiquement correct, de la lutte contre l'alcool au volant et des nombreuses campagnes de prévention sur le danger des boissons alcoolisées, les mots de Churchill résonnent presque comme une provocation. Et pourtant, ils restent plus que jamais d'actualité car beaucoup de gens demeurent convaincus qu'ils supportent bien l'alcool, que leur organisme le tolère parfaitement et qu'une consommation régulière ne présente donc aucun danger. Ils vont parfois jusqu'à mettre en avant les effets bénéfiques prêtés à une consommation régulière de certaines boissons comme le vin rouge, doté de vertus antioxydantes. En réalité, les choses sont plus complexes, car s'il existe effectivement d'importantes différences d'un individu à l'autre, personne n'est à l'abri des ravages de l'alcool. Dès lors, il est important de rentrer dans le détail afin de déterminer si l'idée que certains supportent mieux l'alcool que d'autres relève de la réalité ou de la fiction. Pour cela, il faut se pencher sur son impact sur notre organisme et la façon dont celui-ci l'élimine.

Mêmes causes, mêmes effets

Avant d'étudier les répercussions des différences génétiques et physiques individuelles, intéressons-nous aux dénominateurs communs qui augmentent les effets de l'alcool sur le corps humain. Le premier d'entre eux est le fait de consommer une boisson alcoolisée à jeun. Cela accélère le passage de l'alcool dans le sang, puis-qu'on observe un pic d'alcoolémie trente minutes après l'ingestion, alors que ce dernier ne survient qu'après une heure lorsque l'alcool est absorbé durant un repas. Bien évidemment, ce pic apparaît d'autant plus vite que la boisson est consommée rapidement. Le second facteur tient à la nature de celle-ci : les breuvages chauds ou mélangés avec du sucre – comme le vin chaud, même s'il perd une partie de son alcool par évaporation – enivrent plus rapidement car la chaleur et le sucre cata-lysent le passage de l'alcool dans le sang. Il en va de même pour les boissons contenant du gaz carbonique, lequel joue lui aussi un rôle d'accélérateur. Enfin, de nombreux médicaments ou maladies augmentent la sen-sibilité à l'alcool.

Ces constantes étant valables pour tous, voyons main-tenant quels paramètres individuels entrent en ligne de compte dans la consommation de boissons alcoolisées et les effets qu'elles provoquent.

Des différences établies

La première différence notable oppose hommes et femmes. Chez ces dernières, la consommation d'un verre d'alcool à jeun se traduit par une alcoolémie de 0,3 g, contre 0,2 g pour des hommes de poids égal. Qui plus est, les femmes disposent d'une quantité inférieure d'enzymes intervenant dans l'élimination de l'alcool, dont nous reparlerons plus loin. Dès lors, pour une même quantité d'alcool ingérée, le taux d'alcoolémie d'un sujet féminin restera plus longtemps au-dessus de zéro que celui d'un homme. Une autre différence anatomique entre en ligne de compte : un corps féminin contient plus de tissu adipeux qu'un corps masculin dans lequel l'eau est présente en plus grande quantité. Or l'alcool se montre plus facilement soluble dans l'eau que dans la graisse. En toute logique, une même quantité d'alcool va donc être diluée dans un volume de liquide corporel moins important chez une femme, augmentant dès lors davantage son taux d'alcoolémie que pour un homme.

Outre le sexe, le poids du buveur tient un rôle important. D'une manière générale, l'alcoolémie d'une personne en surpoids monte moins vite que celle d'un individu mince. Là encore, ceci découle du fait que la concentration d'alcool sanguine est en adéquation avec la quantité d'eau dans le corps. Or un sujet obèse présente certes une plus grande quantité de graisse dans l'organisme, mais aussi un volume d'eau plus élevé pouvant lui permettre de mieux supporter l'alcool.

Attention aux plus jeunes !

L'âge constitue un autre critère important, dans la mesure où les enfants et les adolescents ne disposent pas du matériel enzymatique suffisant pour détoxiquer l'alcool qu'ils auraient éventuellement consommé. Notons d'ailleurs que la prise d'alcool chez l'adolescent risque de perturber sa croissance car elle entraîne une baisse de la production des hormones de croissance.

Faut-il pour autant interdire strictement sa consommation aux enfants et aux adolescents ? Je n'en suis pas persuadé, car il arrive souvent que ce soit l'interdit du péché qui génère le péché. Il me semble donc possible de faire goûter de façon très modérée des boissons alcoolisées à des adolescents afin d'éviter d'instaurer un interdit qu'ils seront tentés de transgresser par la suite. Les enfants accepteront sans doute mieux de patienter avant d'avoir le droit de goûter une goutte de bière ou de vin à leur tour.

Toutefois, il convient de se montrer particulièrement vigilant envers les plus jeunes, même lorsqu'on a évoqué avec eux le thème de l'alcool et qu'ils ont accepté les règles définies. En effet, on dénombre encore chaque année de nombreuses intoxications alcooliques d'enfants ou d'adolescents. Du fait de leur faible poids, conjugué à leurs systèmes biologiques d'élimination n'ayant pas encore atteint leur maturité, une faible quantité d'alcool suffit à provoquer un traumatisme pour l'organisme. Ces intoxications s'avèrent généralement accidentelles. Or si beaucoup de parents songent à placer les produits d'entretien hors de portée des jeunes enfants, combien se montrent vigilants envers les bouteilles de vin, de whisky ou tout simplement les verres encore pleins qui restent sur la table basse du salon après un apéritif ? Une banale curiosité d'enfant et quelques instants d'inattention peuvent suffire à provoquer un accident. Les cas les plus nombreux concernent d'ailleurs les enfants de deux à quatre ans – l'âge de la curiosité et de la découverte par excellence – avec une prédominance pour les garçons.

Dans certaines circonstances, l'intoxication à l'alcool peut même survenir sans que l'enfant n'en ait jamais consommé, soit par inhalation de vapeurs (lors de la visite d'une distillerie par exemple), soit par pénétration percutanée due à l'utilisation de produits désinfectants alcoolisés.

Je recommande donc vigoureusement aux parents de se montrer particulièrement vigilants, d'autant que les conséquences d'une consommation alcoolique chez l'enfant peuvent se révéler graves : hypoglycémie sévère parfois accompagnée de convulsions et allant, dans les cas extrêmes, jusqu'au coma.

Une histoire d'enzymes

Le sexe, le poids et l'âge constituent trois paramètres déterminants pour les effets produits par la consommation d'alcool sur l'organisme, mais d'autres critères moins visibles entrent également en ligne de compte. Cela tient à la façon dont l'alcool est éliminé par le corps. C'est le foie qui se charge de cette tâche à 90 % environ. Les 10 % restants peuvent être évacués par les poumons, les reins et la peau. Dans tous les cas, de nombreuses enzymes interviennent dans le processus. Ces enzymes permettent de comprendre pourquoi certains « tiennent mieux l'alcool que d'autres ». En effet, leur présence varie selon les individus pour des raisons génétiques ou contextuelles. De nombreux Asiatiques et certains Européens possèdent par exemple un système enzymatique différent qui les fait très mal réagir à la consommation de boissons alcoolisées. Cette particularité, d'origine génétique, leur fait ressentir des maux de têtes, des nausées, de la somnolence et des palpitations lorsqu'ils en boivent. Une accélération du rythme cardiaque, appelée « flush syndrome », apparaît également dans certains cas.

À l'inverse, chez les buveurs réguliers présentant une consommation importante, l'organisme fabrique davantage certaines enzymes qui jouent un rôle clé dans l'élimination de l'alcool. En conséquence, la perception de l'ivresse diminue, ce qui ouvre à ces habitués l'accès à des paliers supérieurs de consommation. Ce processus est donc particulièrement dangereux, tant le fait de mieux tolérer l'alcool ne signifie en aucun cas qu'on est mieux protégé contre ses dangers potentiels ! Bien au contraire, cette accoutumance tend à augmenter le niveau de consommation, et donc à faire croître les risques de complications médicales.

Dire que certaines personnes résistent mieux à l'alcool que d'autres est donc à la fois vrai et faux. Certes, elles ressentent moins vite les troubles induits, mais elles n'en sont pas exemptes pour autant, et sont même plus exposées aux maladies associées puisqu'elles en consomment davantage.

Une longue litanie de désagréments

À ceux qui se pensent plus solides que la normale face à l'alcool, on rappellera que les conséquences négatives de celui-ci sont quasi innombrables. D'abord, l'alcool en excès provoque des dérèglements importants : les facultés cérébrales sont altérées, tout comme le temps de réaction, les réflexes ; les émotions et le comportement sont très perturbés. L'acuité visuelle et la capacité de discernement diminuent également, ce qui explique la fréquence des accidents de la route impliquant des conducteurs en état d'ébriété. Par ailleurs, il faut se méfier plus que tout des effets faussement bénéfiques. Car si un taux d'alcoolémie de 0,5 g/l peut rendre le sujet euphorique et plus communicatif, cet état change dès que la dose augmente pour laisser place à des troubles du comportement généralement accompagnés d'une certaine confusion.

Au rang des inconvénients majeurs d'une consommation excessive figure aussi la fameuse gueule de bois. Elle se traduit le plus souvent par des céphalées, de la fatigue, des nausées et un état de malaise général. Une des premières causes de ces manifestations réside dans un simple phénomène de déshydratation. L'alcool perturbe en effet les équilibres hydro-électrolytiques de l'organisme en accélérant l'élimination d'eau. La déshydratation sera d'autant plus marquée si la personne a bu beaucoup d'alcool sans penser au verre d'eau resté plein à côté de son verre de vin. Les manuels de savoir-vivre recommandent d'ailleurs de remplir les verres à eau avant que les invités ne se mettent à table : une idée à retenir car elle présente un double avantage. Commencer le repas par un grand verre d'eau évite d'étancher ensuite sa soif avec du vin, tout en limitant les effets déshydratants de celui-ci. Bien s'hydrater avant, pendant et après une soirée trop arrosée constitue en somme un bon moyen d'éviter la gueule de bois. Mais attention, là encore cela ne protège pas des autres effets de l'alcool sur l'organisme !

Par ailleurs, il faut savoir que certains alcools, généralement bon marché, donnent davantage la gueule de bois. Ils contiennent en effet de l'huile de fusel provenant de la fermentation alcoolique. Le mot fusel provient de l'allemand et signifie « mauvais alcool ». Il correspond à un type d'alcool moins pur d'aspect huileux, présent en quantité plus importante en fin de distillation et conférant un goût particulier, proche d'une odeur de solvant, aux boissons qui en contiennent. Or l'huile de fusel comporte des substances toxiques qui vont passer dans l'organisme en provoquant maux de tête et nausées. Et certains alcools bas de gamme, notamment des vins premier prix, en contiennent des quantités non négligeables.

L'excès d'alcool présente aussi le désavantage de perturber le sommeil. Cela peut sembler étonnant quand on sait à quel point les personnes ivres ont généralement un sommeil très lourd. Mais justement, l'alcool modifie la répartition du sommeil au détriment du sommeil paradoxal, au cours duquel on s'agite en faisant beaucoup de rêves. Or il s'agit de la phase de sommeil au cours de laquelle nous récupérons le plus. Le sommeil lent profond s'avère quant à lui bien moins bénéfique car moins réparateur pour le corps et l'esprit. Ces données physiologiques permettent de comprendre que des sujets ayant trop bu ressentent un état de fatigue avancé à leur réveil, malgré parfois de très longues heures à ronfler dans un sommeil profond.

Ajoutons à ces multiples inconvénients le fait que l'alcool fait grossir. Il comporte en effet 7 calories par gramme, qui sont peu exploitables par l'organisme. Toute quantité excessive sera donc principalement stockée sous forme de graisse, particulièrement au niveau de l'abdomen. Bien sûr, l'étendue des dégâts dépend du type d'alcool consommé, les valeurs caloriques étant très différentes d'une boisson à l'autre, comme en témoignent les exemples suivants : la bière contient 38 kcal pour 100 ml, un vin rouge à 11° compte 63 kcal contre 70 pour un vin blanc de même titrage et 85 kcal pour un champagne brut. Les alcools forts s'avèrent quant à eux encore plus caloriques avec 221 kcal pour 100 ml de gin, 223 kcal pour une liqueur, 234 kcal pour la vodka et même 238 kcal pour le whisky.

Des idées reçues à combattre

Pour terminer ce chapitre, je souhaite revenir sur quelques idées reçues qui se manifestent encore trop souvent et servent de justification abusive à certains consommateurs. Ainsi, d'aucuns prétendent que la prise d'alcool permet de se réchauffer. Cette sensation est en fait une illusion : sous l'action de l'alcool, les vaisseaux sanguins situés sous la peau se dilatent et procurent une sensation d'échauffement. Mais en réalité, ceci augmente l'élimination de la chaleur par la peau et la température du corps baisse d'un demi-degré par 50 grammes d'alcool absorbés. Affirmer que les boissons alcoolisées réchauffent est donc à la fois faux et dangereux car cette impression de chaleur peut masquer une hypothermie réelle, très dangereuse par temps froid. Il n'est d'ailleurs pas rare de retrouver certains fêtards aux urgences d'un hôpital pour cause d'hypothermie. La sensation de chaleur les pousse parfois à se déshabiller, ce qui aggrave encore plus la situation...

L'alcool ne procure pas non plus de force supplémentaire comme certains le supposent. Il va juste générer une sensation de bien-être de courte durée laissant place ensuite à l'épuisement.

Quant aux effets sur la tension artérielle, il faut se méfier des conclusions hâtives. Certains ont conclu un peu vite que quelques verres de vin chaque jour s'avéraient bénéfiques pour lutter contre l'hypertension artérielle. La réalité est plus nuancée. On sait avec certitude que la consommation d'alcool en trop forte quantité augmente le risque d'hypertension artérielle. À l'inverse, de très faibles quantités donnent des résultats positifs, mais pas chez tous les individus. Deux grands essais cliniques ont été menés sur le sujet : *The Women's Health Study*, portant sur 28 848 femmes, et *The Physician's Health Study*, étudiant 13 455 hommes. Les résultats ont montré que dans le groupe des femmes, la consommation de quantités faibles ou modérées d'alcool semblait avoir un effet protecteur sur la survenue d'une hypertension artérielle. L'effet opposé se produit toutefois à partir de quatre verres par jour. Surtout, l'effet protecteur d'une faible consommation est moins probant chez les hommes.

Enfin, les boissons alcoolisées ne sont pas franchement recommandées aux postulants au plaisir sexuel, contrairement à ce que l'on entend parfois. Certes, une petite quantité d'alcool peut avoir un effet désinhibant apte à faciliter voire à pimenter une relation amoureuse. D'une manière générale, chez des sujets anxieux ou un peu tendus en société, une coupe de champagne ou un verre de vin sont susceptibles de diminuer légèrement le stress, facilitant ainsi le contact avec les autres. Puisque l'alcool intervient directement sur le système nerveux, il est susceptible de diminuer les interdits et de faciliter chez certains les modes d'expression par la parole ou par le geste. Dans le cadre d'un couple, cela peut contribuer à s'abandonner plus facilement à ses envies, à être plus réceptif au toucher de l'autre. Les fantasmes pourront aussi s'exprimer plus librement. Mais attention, cela n'a toutefois rien de systématique. Ces effets positifs ne fonctionnent que pour des doses modérées. Si la quantité d'alcool consommée est trop importante, les résultats obtenus seront tout simplement l'inverse de ceux recherchés, en particulier chez les hommes qui risquent de rencontrer des difficultés à l'érection. Combien de nuits de noces ont d'ailleurs été ratées par un excès d'alcool alors qu'une petite quantité aurait ouvert les voies du septième ciel ?

Cette note légère illustre parfaitement le fait que, pour la santé, l'alcool n'est pas une boisson à proscrire, mais que les principes évidents de modération doivent être respectés. En effet, outre les différents désagréments évoqués au cours de ce chapitre, rappelons que l'alcoolisme demeure une réalité en France et se traduit chaque année par de nombreux cas de maladies graves (cancers, cirrhose, etc.) ou de grande détresse sociale (rupture familiale, professionnelle, etc.). Il importe donc de savoir se modérer et de ne pas tomber dans le piège des idées reçues ou de l'impression de bien tenir l'alcool. Puisse ce chapitre y contribuer !

CHAPITRE 10

Éliminez... les interférences cachées

« Il en est des conseils comme des médicaments ;
les plus amers sont les meilleurs. »

Rabindranath Tagore

En dehors des excès de sucre ou d'alcool que nous avons déjà évoqués, l'alimentation recèle également d'autres pièges bien cachés n'ayant rien à voir avec une consommation trop élevée de telle ou telle substance. Qui découlent de la prise d'un aliment anodin en apparence, mais dangereux dans un contexte bien particulier. Pour éviter de provoquer ce contexte par méconnaissance, penchons-nous sur l'histoire d'un agrume que nous connaissons, mais qui nous réserve quelques surprises.

Au XIXe siècle, un marchand espagnol débarqua en Floride et sema les différentes graines apportées avec lui. Parmi elles, une espèce s'adapta particulièrement bien au climat et au sol du sud-est de l'Amérique : le pamplemousse. Plus exactement les pomelos, car les véritables pamplemousses sont originaires d'Asie, mais nous réserverons cette distinction aux puristes. Aujourd'hui, si les Floridiens sont mondialement connus pour les agrumes qu'ils produisent, ils ne pensèrent pas tout de suite à les consommer et les laissèrent d'abord pourrir au pied des arbres. Pourquoi ? Parce qu'ils trouvaient ces fruits assez curieux, et que leur odeur particulière ne les tentait pas du tout, sans parler de leur goût acide. Il fallut plusieurs années avant qu'ils s'y accoutument et se mettent à manger régulièrement des pamplemousses, comme c'est le cas partout dans le monde désormais.

Leur réticence s'explique peut-être par une des particularités de cet agrume : des études scientifiques ont montré qu'il contenait la substance aromatique la plus puissante jamais mise en évidence : son parfum est en effet encore perceptible à une dilution d'un dix-millionième de gramme dans une tonne d'eau !

Cocktail amer

La chair du pamplemousse peut avoir différentes couleurs : blanc, rose ou presque rouge, selon sa teneur en antioxydants, ces fameuses substances bénéfiques pour la santé qui neutralisent les radicaux libres. Plus sa chair est foncée, plus la teneur en antioxydants est élevée. Ce fruit s'avère également riche en vitamine C, fibres solubles, cuivre, lycopène, bêta-carotène et vitamine A : un vrai cocktail de vitamines et de nutriments ! Certaines études effectuées sur des animaux ont d'ailleurs mis en évidence des actions bénéfiques pour la santé, qui semblent liées aux flavonoïdes (la naringine et l'hespéritine) contenues dans la chair de pamplemousse. Citons notamment une augmentation du « bon » cholestérol (le HDL), une diminution du « mauvais » (le LDL), ainsi qu'une amélioration de la souplesse des vaisseaux sanguins. Mais qu'en est-il chez l'homme ? Selon une étude, la consommation quotidienne de deux pamplemousses se traduirait par une baisse modérée du cholestérol LDL.

Par ailleurs, cet agrume comporte d'autres propriétés étonnantes. La partie blanche de l'écorce, appelée

l'albédo, constitue une bonne source de pectine. On l'utilise dans l'industrie alimentaire pour la préparation des
boissons de type tonic, de glaces et ou de chocolats
amers. Une fois désamérisée, cette substance peut même
fournir un édulcorant qui s'avère 1 500 fois plus sucré
que le sucre standard. Quant aux pépins, à qui on prête
des vertus antimicrobiennes, ils sont employés en agri-
culture dans la lutte contre les pucerons, les limaces et
toutes sortes d'insectes parasites...

En résumé, le pamplemousse est doté de nombreuses
qualités désormais bien connues et que l'homme a su
exploiter dans de nombreux domaines. Ce que l'on sait
moins, c'est que ce fruit que nous consommons régulièrement est aussi capable de tuer ! Il pourrait même
constituer l'arme du crime d'un polar cynique. En effet,
près de deux cents études scientifiques et médicales,
publiées entre 1998 et 2004, ont abouti à ce constat
inquiétant : le pamplemousse peut s'avérer dangereux en
prise simultanée avec de nombreux médicaments du fait
des interactions qu'il déclenche.

Des liaisons vraiment dangereuses

Celles-ci sont de deux types : d'un côté, une augmentation de la biodisponibilité du médicament, entraînant
un risque d'effet de surdosage ; de l'autre, une inhibition
du principe actif réduisant au contraire l'efficacité du
traitement. Nul besoin de consommer des quantités
importantes de pamplemousse : un simple verre de pur
jus suffit à provoquer un drame. En outre, le risque d'interaction perdure jusqu'à vingt-quatre heures après l'ingestion de l'agrume.

Ce danger est à prendre au sérieux car les médicaments concernés sont très nombreux : il s'agit aussi bien de traitements pour les maladies cardiovasculaires ou contre l'hypertension artérielle que de médicaments antiarythmiques comme la digoxine, de divers antidiabétiques ou hypocholestérolémiants, ou encore des produits antimigraineux telle l'ergotamine, sans oublier certains antidépresseurs.

Concrètement, les effets provoqués par l'interaction avec le pamplemousse varient du tout au tout selon les traitements : ils passent de l'inefficacité totale du médicament qui se trouve désactivé, jusqu'à l'augmentation de ses effets toxiques. Dans cette seconde hypothèse, on a constaté des cas d'hypoglycémies graves, de fontes musculaires (rhabdomyolyse), de vasodilatations excessives, de troubles de la conduction cardiaque, et même des cas de gangrène ou d'attaque cérébrale liés à une association avec de l'ergotamine.

En d'autres termes, le simple fait de manger du pamplemousse alors qu'on prend certains médicaments est potentiellement mortel ! Ce risque est trop méconnu aujourd'hui alors qu'il est réel. Je souhaiterais d'ailleurs qu'une mention spéciale figure sur les bouteilles de jus de pamplemousse, pour éviter de nombreux accidents.

Quoi qu'il en soit, afin d'empêcher toute interférence lorsqu'on suit un traitement médicamenteux, la règle est simple : ne jamais consommer de pamplemousse (en jus, en morceaux, dans une salade, etc.) sans consulter au préalable son médecin ou son pharmacien. Et ne pas oublier non plus que le risque subsiste même lorsque quelques heures séparent la prise du médicament et l'ingestion du fruit.

Précisons enfin que si les interactions toxiques entre pamplemousse et médicaments sont établies avec certitude aujourd'hui, d'autres études commencent à démontrer un risque similaire avec d'autres agrumes comme les oranges amères. Le sujet est donc à suivre avec une vigilance toute particulière pour les amateurs de ce type de fruits qui suivent l'un des traitements cités plus tôt.

Interférences à tous les étages

Les agrumes n'ont toutefois pas le monopole des risques d'interférence. Le simple fait de manger modifie à lui seul la façon dont un traitement agit. À jeun, la vidange gastrique d'un médicament dans l'intestin se fait en dix à trente minutes, tandis qu'elle nécessite entre une à quatre heures dans le cadre d'un repas. En pratique, le passage des molécules actives dans le sang s'opère donc plus rapidement lorsque le traitement est absorbé seul. À l'inverse, la consommation d'aliments chauds, acides, épais, très sucrés ou salés, riches en graisses ou en protides ralentit ce transfert.

Qui plus est, de nombreuses réactions chimiques entre médicaments et aliments sont possibles. Par exemple, la prise simultanée de produits laitiers et de certains antibiotiques – comme les tétracyclines – provoque la formation de complexes non résorbables qui diminuent l'efficacité du produit. Les substances actives se combinent avec celles des aliments et forment un nouveau produit que le corps n'est pas capable d'assimiler correctement. Concrètement, c'est comme si le sujet ne prenait qu'un morceau de son comprimé, pas le comprimé entier...

La nourriture peut aussi augmenter le pH de l'estomac, ce qui risque de déclencher l'état d'ionisation d'une molécule. Pour simplifier, cela revient là encore à rendre le médicament moins assimilable par l'organisme, et donc moins efficace, comme pour l'aspirine, dont la résorption peut être diminuée par les repas. Le café produit quant à lui un effet opposé : il maximise l'effet antalgique de l'aspirine ou du paracétamol.

Il existe bien d'autres mélanges d'associations risquées. Les choux et les navets sont capables de stimuler des enzymes diminuant l'activité du paracétamol ou de certains anticoagulants à base d'anti-vitamines K. En cas de traitement avec de la cortisone, une alimentation trop salée s'avère néfaste, provoquant une augmentation de la rétention de sel, d'eau et des œdèmes. Certains médicaments peuvent aussi diminuer l'absorption des vitamines, comme les pansements gastroduodénaux à base de sels d'aluminium ou les laxatifs comme l'huile de paraffine.

Dans tous les cas, il est donc important de bien suivre les recommandations de prise d'un médicament : à jeun, avant ou pendant les repas, voire à une heure précise dans certains cas. Grâce à cela, assiette et comprimés feront bon ménage, pour le plus grand intérêt de votre santé !

CHAPITRE 11

Éliminez... le cholestérol

*« Emprisonné dans chaque homme gras,
un homme maigre fait des signes désespérés
pour qu'on le libère »*

Cyril Connoly

Nous ne pourrions pas vivre sans cholestérol, tant cette graisse présente dans l'organisme est nécessaire à la fabrication de nombreuses hormones et même de la bile. Cependant, ce cholestérol indispensable à la vie est capable de se changer en menace redoutable s'il se retrouve en excès dans le corps. Pour bien comprendre l'enjeu, il faut d'abord savoir que seule une partie de notre cholestérol provient de ce que nous mangeons. L'autre partie est fabriquée en permanence par le foie.

Cette distinction explique que des personnes dont l'alimentation est dénuée d'aliments riches en cholestérol souffrent malgré tout d'un excès de celui-ci. Cela se produit lorsque le foie en produit trop par rapport aux besoins du corps. En résumé, trop de cholestérol n'est pas forcément synonyme d'excès alimentaires : il ne faut donc pas systématiquement essayer de chercher des raisons morales ou comportementales face à un mauvais résultat d'analyse sanguine. Car si l'on n'identifie pas correctement la ou plutôt *les* causes, il sera vain d'espérer traiter à long terme la surdose de cholestérol.

Une substance très manichéenne

Pour y parvenir, il importe en premier lieu de faire la différence entre les deux cholestérols présents dans l'organisme. La majorité d'entre nous savent qu'il en existe un bon et un mauvais, sans nécessairement comprendre à quoi cela correspond vraiment. Pour schématiser, on peut considérer que l'un est un peu le gendarme de l'autre. En effet, le « bon », appelé HDL, agit comme un transporteur chargé de récupérer le cholestérol en excès dans l'organisme – que celui-ci provienne de l'alimentation ou du foie – puis de l'amener vers le foie qui le fera disparaître. Qui plus est, des études récentes conduites en Australie ont montré d'autres fonctions intéressantes du HDL, notamment des propriétés antioxydantes et anti-inflammatoires, ainsi qu'une action bénéfique dans la lutte contre l'athérosclérose, laquelle provoque à la longue l'obstruction progressive des artères. Le cholestérol de type HDL s'avère donc particulièrement bénéfique pour l'organisme, ce qui implique que, dans son cas, c'est une baisse du taux qui doit inquiéter, et non une hausse comme pour son double négatif, le LDL.

Ce mauvais cholestérol se caractérise, lui, par une action inverse de celle du HDL : il transporte le cholestérol produit par le foie vers les cellules de notre organisme. Cela peut s'avérer utile lorsque l'alimentation ne fournit pas au corps la quantité de cholestérol nécessaire à son bon fonctionnement, mais si cette quantité est suffisante, le LDL va abreuver l'organisme en cholestérol excédentaire. Celui-ci ne sera pas absorbé par les cellules et se déposera sur la paroi des artères, ouvrant la voie à de possibles troubles cardio-vasculaires.

Entretenir son corps... mieux que sa voiture !

Étant donné l'importance du cholestérol dans l'équilibre général de l'organisme, il est particulièrement utile d'effectuer régulièrement un dosage de celui-ci via une simple prise de sang. En tant que médecin, je suis toujours surpris de constater que nombre de mes patients surveillent au moins une fois par an la pression des pneus de leur voiture et son niveau d'huile mais se montrent beaucoup plus négligents vis-à-vis d'eux-mêmes. Ils ne se livrent qu'à des contrôles très espacés voire quasi inexistants de la pression artérielle, du niveau de sucre ou du cholestérol. Et pourtant, un organisme est beaucoup plus fragile qu'une automobile !

À moins de tenir plus à votre voiture qu'à vous-même, je vous conseille donc d'effectuer un petit bilan sanguin si vous n'en avez pas effectué depuis longtemps. En pratique, les taux de cholestérol considérés comme normaux sont inférieurs à 1,60 g/l pour le LDL et supérieurs à 0,40 g/l pour le HDL. Attention toutefois à un détail clé : pour fournir des données fiables, la prise de sang doit être faite le matin après douze heures de jeûne. Si ces analyses révèlent un excès de cholestérol de type LDL, il faut agir. Rappelons-le, la présence trop importante de LDL cholestérol dans l'organisme va contribuer au développement de l'athérosclérose, autrement dit à un rétrécissement du calibre des artères pouvant générer des complications cardiaques et des accidents vasculaires cérébraux.

Reste à savoir quoi faire concrètement. La plupart du temps, les médecins traitants prescrivent des traitements médicamenteux. Le danger est que beaucoup de patients pensent que la prise quotidienne d'un comprimé, souvent avalé religieusement comme une sorte d'hostie, suffit à résoudre le problème du cholestérol et à régler la question du risque d'infarctus ou d'hémiplégie. Ils se plient volontiers aux contrôles nécessaires plusieurs fois par an et en viennent parfois à considérer leurs feuilles d'analyses sanguines comme un carnet de notes à présenter à leur praticien en attendant des félicitations de sa part... Mais voilà, l'hypercholestérolémie n'est qu'un facteur de risque cardiovasculaire parmi d'autres et résulte généralement d'une hygiène de vie inadaptée, soit du fait d'une alimentation trop riche, soit à cause d'une activité physique insuffisante, ces deux facteurs étant souvent corollaires. Bien d'autres éléments peuvent entrer en ligne de compte comme le stress, le tabac, les antécédents familiaux, etc.

La prise en charge doit donc être globale et multifactorielle. C'est pourquoi, lorsque le bilan d'un patient révèle un taux de cholestérol élevé, je propose de démarrer un programme de réduction des différents facteurs de risque vasculaire, pas seulement du cholestérol. La diminution de la surcharge pondérale s'avère essentielle dans cette démarche, les kilos en trop sont à eux seuls un risque pour les artères. La lutte contre la sédentarité constitue un autre pilier de la prévention : il faut bouger et faire de l'exercice non pas une fois par semaine mais quotidiennement, au moins une demi-heure dans l'idéal. L'arrêt du tabac et la réduction du stress comptent également.

Une fois qu'un programme adapté a été défini avec le patient, je conseille de refaire un point deux mois plus tard, avec un contrôle du poids, une mesure de la pression artérielle et l'évaluation du suivi des mesures hygiéno-diététiques prescrites. Les résultats se montrent parfois très encourageants dès ce deuxième mois. Précisons cependant qu'il existe des différences significatives d'un sujet à l'autre. Dans tous les cas, la difficulté est de ne pas se focaliser uniquement sur les résultats de la toute première analyse mais d'attendre au moins deux mois avant de voir les effets d'une nouvelle hygiène de vie. Il n'est d'ailleurs pas toujours nécessaire de révolutionner celle-ci pour obtenir des résultats : si l'excès de cholestérol est d'origine alimentaire, le simple fait de diminuer les quantités de nourriture ingérée quotidiennement améliorera la situation. Pour cela, outre les recommandations du médecin traitant, une bonne connaissance de la teneur en cholestérol des aliments s'avère utile.

Connaître les aliments riches en cholestérol

L'une des sources significatives de cholestérol dans l'alimentation est le jaune d'œuf, qui en contient 1 100 mg pour 100 g. En cas d'excès de cholestérol, je conseille malgré tout de continuer à manger des œufs, en enlevant simplement le jaune. En effet, le blanc s'avère très faible en calories (44 kcal/100 g) et ses propriétés nutritionnelles se montrent intéressantes, notamment grâce à sa richesse en protéines qui lui confère un excellent effet satiétogène. D'ailleurs, en cas de petit creux, consommer deux blancs d'œufs durs accompagnés d'une eau minérale gazeuse ou d'un soda light diminue la sensation de faim sans risque de prise de poids. L'œuf peut donc devenir l'allié des personnes suivant un régime dans le cadre d'un excès de cholestérol... à condition d'en choisir la bonne partie !

D'autres aliments se révèlent riches en cholestérol, dans des proportions assez variées comme le montre la liste suivante [1] :

_____
1. Source : Ciqual.

Cervelle d'agneau : 2 100 mg/100 g
Ris de veau : 469 mg/100 g
Œuf entier : 380 mg/100 g
Foie gras : 380 mg/100 g
Rognon de veau : 375 mg/100 g
Foie de veau : 335 mg/100 g
Beurre : 250 mg/100 g
Crevettes : 152 mg/100 g
Anguille : 140 mg/100 g
Boudin noir : 130 mg/100 g
Comté : 120 mg/100 g
Viande rouge : entre 70 et 80 mg/100 g
Crabe frais : 75 mg/100 g
Camembert : 60 mg/100 g
Huîtres et moules : 50 mg/100 g
Saumon : 50 mg/100 g

On le voit, la teneur en cholestérol varie dans des proportions importantes : le beurre en contient par exemple cinq fois plus que le saumon. Il faut toutefois interpréter ces chiffres non comme des données brutes, mais en fonction des quantités d'aliments ingérées chaque jour. Ainsi, un pavé de saumon de 150 g contient environ 75 mg de cholestérol, alors que 20 g de beurre consommé par exemple sur des tartines au petit déjeuner n'en contiennent « que » 50 mg. Le régime alimentaire doit donc se construire sur ces deux axes : la teneur en cholestérol par aliment d'une part, la quantité d'aliment consommée de l'autre.

Attention aux aliments miracles !

En complément de cette approche consistant à limiter les quantités absorbées de cholestérol, beaucoup se demandent s'il existe des aliments favorisant la diminution du LDL. Cette hypothèse, très séduisante, a d'ailleurs été reprise comme un argument marketing par certaines marques d'agroalimentaire, dont les produits sont censés aider à faire baisser le taux de cholestérol « dans le cadre d'une alimentation adaptée », précisent-elles. Où commence le bénéfice de ces produits et où s'arrête celui de « l'alimentation adaptée », il est bien difficile de le dire pour l'instant. Laissons donc le débat de côté pour nous intéresser à un aliment simple et naturel à qui l'on prête également de nombreux bienfaits : l'ail. Alexandre Vialatte écrivait que manger de l'ail « ça rajeunit l'organisme et ça éloigne les importuns ». Concernant les importuns, l'effet est évident, mais pour le rajeunissement et autres effets bénéfiques, c'est différent.

Certes, l'ail est utilisé depuis l'Égypte ancienne pour lutter contre les maladies cardio-vasculaires et ce n'est sans doute pas un hasard. Aux États-Unis, il figure en tête des ventes d'épices en gélules. Peut-être est-ce dû à sa vertu d'éloigner le diable ? Quoi qu'il en soit, on lui prétend aussi des vertus anticholestérol. Mais sur ce point, les travaux scientifiques réalisés par le professeur Christopher Gardner à l'université de Stanford remettent les choses en question. Son étude a duré six mois au cours desquels 169 volontaires ont accepté de prendre de l'ail en poudre six jours sur sept, sous forme de gélules. 50 % des volontaires avalaient des gélules contenant de l'ail, celles des autres participants contenant un placébo.

Au début de l'étude, tous les sujets présentaient un taux de cholestérol LDL allant de 1,3 à 1,9 g/l.

La quantité d'ail absorbée correspondait à l'ingestion d'une gousse entière chaque jour. Malgré cette quantité relativement élevée, la diminution maximale de cholestérol LDL observée a été de 10 mg/l, ce qui n'est pas significatif. Par ailleurs, le taux de HDL n'a pas bougé. Quoi qu'en pensent certains, l'ail n'a donc pas de vertu significative envers le cholestérol : il ne fait ni baisser le mauvais, ni augmenter le bon. Il faut souligner en revanche qu'un certain consensus s'est dégagé chez les participants de l'étude à propos des désagréments engendrés sur leur haleine. Cela dit, rendons justice à l'ail, dont l'intérêt gustatif et nutritionnel reste entier. En outre, d'autres études sont en cours, notamment sur ses bienfaits éventuels sur la circulation sanguine.

La question du cholestérol démontre en tout cas deux choses : d'abord qu'une bonne alimentation associée à une activité physique régulière s'avère véritablement essentielle. Ensuite qu'il est souvent nécessaire de fuir les idées reçues sur la santé et de changer de point de vue pour mieux comprendre les enjeux qu'elle implique. Cette attitude s'applique d'ailleurs à bien d'autres aspects de l'alimentation... comme nous allons le voir.

CHAPITRE 12

Éliminez... les idées reçues en matière d'alimentation

« Les idées reçues n'exigent pas de remerciements. »

Ylipe

Pour clore cette partie consacrée à la recherche d'une alimentation plus saine, intéressons-nous à la question complexe et souvent simplifiée à l'excès du rapport entre le choix des aliments et la bonne santé de l'organisme. De nombreuses recherches ont été menées pour comprendre et préciser l'impact de la nutrition sur la prévention ou la survenue des maladies. Nous aurions pu attendre de ces études qu'elles fournissent une liste exhaustive et définitive des aliments à privilégier et de ceux à éviter. Or il n'en a rien été, car un ingrédient donné peut s'avérer bénéfique pour un individu mais néfaste pour un autre. Selon les personnes, certains nutriments fonctionnent comme de véritables boucliers, d'autres comme des facteurs de risques.

Cela étant, l'étude épidémiologique des populations de la planète a été utile pour la compréhension de ce sujet. En observant la fréquence de pathologies comme l'infarctus du myocarde ou le cancer selon les pays, on a pu établir des liens entre la façon dont les habitants se nourrissaient et les facteurs de risque ou de prévention associés.

Quelques exemples bien connus illustrent cette approche. Ainsi, les Esquimaux et les Japonais sont moins exposés aux infarctus que le reste de la population mondiale grâce à leur consommation fréquente de poissons gras et crus riches en oméga 3. Ces derniers font d'ailleurs l'objet d'un véritable plébiscite auprès des consommateurs français pour leurs vertus protectrices. Les Crétois sont, quant à eux, moins sujets aux maladies cardio-vasculaires en raison notamment de leur célèbre régime riche en fruits, légumes et huile d'olive. Chez nos compatriotes de l'Hexagone, c'est le vin rouge qui a été identifié comme un facteur de prévention des maladies cardio-vasculaires.

De là à en déduire que le régime idéal se compose de poisson cru aux fruits nappé d'huile d'olive et arrosé de vin rouge, il y a bien sûr un pas à éviter ! D'abord parce que le résultat gustatif risque de s'avérer pour le moins étrange, ensuite parce qu'un tel régime appliqué à tous n'aurait sans doute aucune des vertus qu'on pourrait en attendre. Pour se construire une hygiène alimentaire de qualité et viable à long terme, il est nécessaire de considérer la nutrition sous un angle nouveau, en laissant de côté les idées reçues consistant à classer les aliments en opposant ceux jugés bénéfiques à ceux considérés comme mauvais. Il y a bien des distinctions à opérer, mais elles dépendent du profil de chaque personne.

Peut-on identifier les aliments qui nous font du bien ?

Répétons-le, nous sommes à la fois inégaux et différents au niveau de notre patrimoine génétique. Cela explique qu'un même aliment produise des effets parfois inverses d'une personne à l'autre, du fait par exemple des allergies alimentaires. Les avancées récentes de la génétique ont permis de comprendre un peu mieux ces disparités. La présence de gènes particuliers ou de déficits enzymatiques constitue une piste expliquant l'intolérance à des aliments courants ou l'existence de facteurs de risque vis-à-vis de certaines maladies. Nous ne sommes aujourd'hui qu'au début de ces découvertes scientifiques mais les premiers résultats s'avèrent très prometteurs. Nous pouvons en effet imaginer disposer dans un avenir proche d'une sorte de « code-barres » correspondant à notre patrimoine génétique et permettant, pour chaque individu, d'identifier facilement les aliments bénéfiques et ceux à proscrire. Une nutrition sur-mesure en quelque sorte !

La science n'en est pas encore là, mais des applications concrètes existent d'ores et déjà et s'avèrent particulièrement positives. Il en va de même pour les médicaments et la pharmacogénétique. Ainsi, des chercheurs ont isolé un gène de sensibilité au cancer du côlon, présent chez une petite fraction de la population. Ils ont établi que chez les porteurs de ce gène, la consommation de viande pouvait augmenter les facteurs de risque de développement du cancer colique. La viande doit donc être proscrite de leur alimentation, mais le reste de la population ne risque rien si elle continue à en manger et à profiter de l'apport en protéines contenues dans les steaks, côtelettes et autres rôtis. Ce premier pas est intéressant car il montre comment les avancées médicales contribuent à développer une alimentation adaptée aux spécificités de chaque individu au lieu de créer des effets de masse conduisant au boycottage de tel ou tel type d'aliment.

De nombreux autres gènes sont actuellement à l'étude et il est très probable que les dépistages génétiques vont se développer dans les années à venir. De fait, on estime que l'alimentation est à l'origine de 30 % des cancers digestifs. Éviter un cancer digestif sur trois, tel est donc l'enjeu majeur des recherches sur les liens entre génétique et alimentation. Celles-ci ont également permis de nombreux progrès dans le domaine des allergies alimentaires, qui se sont multipliées au cours du xxᵉ siècle et continuent de croître, constituant un autre enjeu de santé important. De nombreux tests existent déjà pour identifier une réaction allergique à certains composants alimentaires. Cela permet d'identifier les allergènes les plus fréquents et d'inciter les industriels agroalimentaires à mentionner leur présence éventuelle ou avérée sur les étiquettes des produits qu'ils fabriquent. Les personnes allergiques voient ainsi leur quotidien facilité et ne risquent plus de mauvaises surprises en avalant un simple biscuit ou un verre de soda.

Pour autant, il reste beaucoup à faire en la matière car toutes les allergies ne sont pas dépistées ! C'est le cas notamment de l'intolérance au gluten, également appelée maladie cœliaque.

La maladie cœliaque : une fréquence non négligeable

Cette pathologie a été décrite pour la première fois en 1888 par Samuel Gee mais la cause de cette affection resta inconnue jusqu'au jour où un pédiatre néerlandais, le docteur Dicke, émit l'hypothèse d'un lien entre des diarrhées fréquentes chez certains sujets et la consommation de pain ou de céréales. Cette première observation fut confortée au cours de la Seconde Guerre mondiale durant laquelle les troubles digestifs de nombreuses personnes malades disparaissaient une fois qu'on supprimait les céréales de leur alimentation.

De fait, la maladie cœliaque se traduit par une inflammation du tube digestif survenant chez des individus présentant un terrain génétique particulier qui les rend intolérants au gluten, terme désignant la partie protéique de nombreuses céréales. On en retrouve dans les farines de blé, de seigle, d'orge ou d'avoine et, par extension, dans tous les produits élaborés avec une de ces farines. En France, la fréquence de cette maladie va de 1 cas pour 400 habitants à 1 cas pour 1 000 habitants. Cependant, il existerait dix fois plus de formes mineures non diagnostiquées. Plusieurs millions de Français sont donc susceptibles d'être touchés par cette maladie, sans nécessairement en avoir conscience.

Elle peut être détectée à différents stades de la vie. Chez le nourrisson, les signes apparaissent au sevrage, à l'occasion de l'introduction des céréales dans l'alimentation qui provoque des douleurs abdominales, des diarrhées, des vomissements, une pâleur, une apathie voire un retard de croissance. Une fois l'intolérance au gluten diagnostiquée, la mise en place d'un régime adapté permet la régression des symptômes en quelques semaines. Chez l'adulte, la maladie cœliaque est plus délicate à identifier car elle se manifeste par différents symptômes isolés ou associés selon les cas. En outre, ils ne sont pas spécifiques à cette maladie : il peut s'agir de fatigue, d'anorexie ou d'amaigrissement inexpliqué. Dans d'autres cas, le sujet se plaint de douleurs abdominales sporadiques, de ballonnements, de nausées, de diarrhée graisseuse – ou à l'inverse de constipation –, d'aphtes récidivants, de douleurs osseuses voire d'un syndrome dépressif. On voit à quel point les symptômes sont variés et atypiques ! Heureusement, une simple prise de sang permet de confirmer ou d'infirmer le diagnostic, par la recherche d'anticorps particuliers (antigliadine, antiréticuline, antitransglutaminase, anti-endimysium notamment). Enfin, si un doute subsiste, un examen endoscopique intestinal révélant des atrophies villositaires au niveau de l'intestin grêle constitue une preuve formelle de maladie cœliaque. Elle est en outre associée à un risque accru de certains cancers intestinaux, mais ce risque rejoint celui de la population générale dès l'éviction du gluten de l'alimentation, à condition que cette éviction soit totale. La difficulté majeure de cette maladie réside dans les nombreuses formes silencieuses présentes chez l'adulte : comme le patient atteint ignore son état, il ne suit pas de régime sans gluten et augmente donc ses risques de cancer. C'est pourquoi je conseille, en cas de doute, de consulter son médecin traitant, lequel n'hésitera pas à pratiquer une prise de sang pour rechercher les anticorps spécifiques de l'intolérance au gluten.

Comme la recherche du gène de sensibilité au cancer du côlon évoqué plus haut, l'exemple du dépistage de la maladie cœliaque fournit un aperçu de ce que sera la nutrition de demain, grâce à laquelle les médecins pourront conseiller les aliments convenant le mieux à chacun selon ses spécificités génétiques. Nous n'en sommes encore qu'aux prémices de la connaissance des liens entre génétique et nourriture, mais les premières constatations observées ont déjà permis de dégager des mesures de prévention. Alors, autant en profiter !

Chaud devant !

En dehors des prédispositions génétiques, certaines habitudes de consommation sont susceptibles de favoriser l'apparition de maladies graves telles les cancers de l'œsophage. Ils ont triplé dans les pays occidentaux ces trente dernières années, ce qui a poussé les scientifiques à rechercher toutes leurs causes possibles. Trois facteurs ont pu être mis à jour, à commencer par l'obésité, dont le rôle a été identifié notamment à partir de travaux réalisés aux États-Unis. La consommation à doses fortes et répétées de tabac et d'alcool – une habitude de toute façon peu recommandable pour rester en bonne santé ! – a également été stigmatisée. Le troisième facteur est quant à lui moins immédiatement associé à une mauvaise hygiène de vie puisqu'il s'agit de la consommation de boissons très chaudes. Amateurs de café brûlant au réveil, passez donc votre chemin !

Dans le cas du cancer de l'estomac, qui touche chaque année plus d'un million de personnes sur la planète, la chaleur est aussi en cause mais d'une tout autre manière. En effet, parmi différents facteurs, les recherches médicales ont mis en évidence le rôle des hydrocarbures polycycliques. Ces substances se rencontrent dans les parties brûlées des viandes ou des poissons préparés au barbecue. Quand on utilise ce mode de cuisson, il importe donc de se montrer très rigoureux en évitant soigneusement que les aliments ne soient carbonisés.

Précisons que, d'une manière plus générale, l'étude des populations migrantes a démontré l'incidence de l'alimentation dans les vingt années précédant l'apparition d'un cancer. Autrement dit, il faut adopter de bonnes habitudes alimentaires le plus tôt possible, et pas à la dernière minute, une fois qu'une éventuelle pathologie est diagnostiquée... Bannissez donc les comportements nutritionnels à risque, sans oublier de privilégier les aliments dont l'effet protecteur est reconnu. Et ils sont nombreux.

Végétaux et fibres alimentaires : des alliés contre le cancer

Dans la prévention des cancers coliques, le rôle protecteur des légumes a été formellement prouvé : plus la consommation est élevée, plus la fréquence des cancers coliques faiblit. Certains aliments comme le chou ou le brocoli ont d'ailleurs été salués pour leurs vertus protectrices. Mais là encore, il importe d'éviter les conclusions hâtives en se ruant sur ces deux légumes au détriment des autres végétaux. D'abord parce qu'ils ne sont pas toujours faciles à digérer et provoquent des gaz intestinaux chez certaines personnes ; ensuite parce que tous les légumes sont en fait dotés d'un pouvoir protecteur intéressant.

Je recommande donc de varier le plus possible leur consommation. Il n'existe de toute façon pas de légume parfait disposant de tous les nutriments essentiels. C'est en alternant les plaisirs que l'on pourra bénéficier de tous les effets positifs des différents végétaux comestibles : la tomate pour sa richesse en lycopène, l'ail pour ses antioxydants, etc. D'autant que, à l'heure actuelle, parmi les très nombreux composants présents dans les différents légumes, on ne sait pas précisément quels sont les plus actifs dans la prévention : les flavonoïdes, les vitamines antioxydantes, les isothiocyanates, les indols, les phénols et les fibres alimentaires jouent un rôle certain, mais leur action précise reste à définir. En attendant d'en savoir davantage, la solution réside donc dans l'alternance.

Opter pour une grande diversité de légumes présente un autre avantage non négligeable : cela évite d'être exposé à une trop grande quantité de pesticides. Chaque plante ayant un mode de culture particulier, les pesticides employés vont varier, aussi bien au niveau qualitatif que quantitatif. La diversité alimentaire permet de limiter le phénomène de bioaccumulation sélective alors qu'en mangeant toujours les mêmes légumes, l'organisme sera exposé systématiquement aux mêmes substances chimiques, avec de possibles conséquences néfastes à moyen ou long terme.

Par ailleurs, les légumes jouent un rôle intéressant d'un point de vue physiologique en lestant le bol fécal. Concrètement, cela permet de limiter la présence de carcinogènes au niveau de l'appareil digestif, grâce notamment à l'action des fibres qui améliorent le transit. Ces dernières s'avèrent d'ailleurs très bénéfiques pour l'organisme, puisque des études d'ampleur internationale ont établi que leur consommation régulière se traduisait par une réduction des risques de cancer du côlon de l'ordre de 25 %, ce qui est très important. Mais une nouvelle fois, toutes les fibres ne sont pas égales : celles contenues dans les fruits et les céréales se montrent les plus efficaces. Ainsi, la prise de trois pruneaux avec un grand verre d'eau au moment du petit déjeuner donne des effets concrets assez vite, parfois dans les deux heures. Tous les végétaux ne contiennent en tout cas pas la même quantité de fibres, comme l'illustre la liste suivante [1] :

---

1. Source : Ciqual.

Pruneau : 13 g/100 g
Figue sèche : 11 g/100 g
Artichaut cuit : 9,4 g/100 g
Salsifis cuits : 9 g/100 g
Pois chiche cuit : 8,6 g/100 g
Haricot blanc cuit : 8 g/100 g
Lentille cuite : 7,8 g/100 g
Pain complet : 7 g/100 g

Enfin, l'effet protecteur des fibres alimentaires ne s'exerce que dans le cadre d'une consommation régulière chez des sujets en bonne santé. Une prise sporadique ou dans le cadre d'un régime de courte durée n'aboutit pas à un bénéfice significatif à long terme.

Les végétaux n'ont pas le monopole des vertus protectrices

Une autre idée reçue circule parfois, consistant à considérer que seuls les fruits et les légumes sont réellement bénéfiques pour la santé, en particulier dans le cadre de la prévention des cancers. En réalité, il n'existe pas de monopole en la matière. Les légumes ont certes de nombreuses vertus mais ils ne sont pas les seuls, comme le montre l'exemple de la vitamine B9. On l'appelle également acide folique ou folate. Cela vient du latin *folium*, en référence aux feuilles de certains légumes qui en contiennent des quantités importantes. Cette vitamine B9 se rencontre aussi dans le jus d'orange, les plantes légumineuses, les œufs et même les abats !

Consommer une assiette de rognons peut donc s'avérer bénéfique pour l'organisme, d'autant que l'acide folique présente des propriétés particulièrement intéressantes : il est en effet nécessaire à la synthèse et la réparation de notre matériel génétique, ce qui explique son effet protecteur face à certains cancers coliques. Ses bienfaits ne s'arrêtent pas là, puisque la vitamine B9 est absolument essentielle pour les femmes enceintes, et même pour les femmes désireuses de faire un enfant. En effet, si elles souffrent d'un déficit en vitamine B9 avant ou pendant la grossesse, il existe un risque de malformation grave pour le fœtus appelé spina-bifida. Il s'agit d'une formation incomplète du tube neural – la future moelle épinière – pendant les quatre premières semaines de la gestation, avec à la clé un handicap sérieux. Le meilleur moyen d'empêcher ce problème de naissance est d'éviter les carences en acide folique chez la future maman. Pour cela, et c'est un point essentiel, les apports quotidiens en vitamine B9 doivent impérativement être conformes aux quantités recommandées, soit 400 µg par jour pour une femme adulte, 500 µg par jour pour une femme allaitante et même 600 µg par jour pour une femme enceinte. Il est nécessaire de contrôler ces apports au mieux deux mois avant la conception du bébé, et au moins pendant le premier mois de grossesse. En tout cas, une supplémentation en acide folique dans les derniers mois de la grossesse ne sert à rien.

Pour clore ce chapitre, je souhaiterais insister sur deux points : l'importance de la prévention d'une part et de la recherche d'autre part. La première doit être mise en place le plus tôt possible dans la vie car nous avons vu que la relation entre l'alimentation et le cancer se constituait dans les vingt années précédant l'apparition d'une tumeur. À l'image des fondations d'une maison qui conditionnent sa stabilité, la nutrition préventive constitue le socle d'une bonne santé. Pour cela, les habitudes positives doivent idéalement être prises dès l'enfance.

La seconde a ouvert des pistes très prometteuses pour l'avenir, mais il reste encore de multiples voies à explorer : de nombreuses autres vitamines (A, C, D, E, bêta-carotène) et certains minéraux (calcium par exemple) auraient ainsi un effet antioxydant intervenant dans la prévention des maladies cardiovasculaires et du cancer, mais nous manquons encore d'éléments pour confirmer ces hypothèses. À l'inverse, certains nutriments pourraient se révéler dangereux dans des contextes spécifiques, comme le fer non absorbé résultant d'une alimentation très riche en viande rouge, susceptible d'intervenir dans la fixation des radicaux libres.

En matière d'alimentation, il importe donc de garder à la fois les papilles en éveil... et l'esprit aux aguets des nouvelles avancées scientifiques.

TROISIÈME PARTIE

Mieux éliminer naturellement

Savoir déjouer les menaces cachées de l'environne-
ment et les pièges de l'alimentation permet déjà de limi-
ter sensiblement les risques liés à certaines maladies.
Mais il est possible d'aller plus loin encore, en appre-
nant à mieux maîtriser les systèmes d'élimination de
notre corps. Ils sont très variés et présentent tous des
particularités souvent méconnues, voire tout bonnement
ignorées. En effet, ces mécanismes correspondent sou-
vent à des réflexes innés : digérer, uriner, respirer,
transpirer, éjaculer ou pleurer ne sont pas franchement
des actions qui s'apprennent ! Elles semblent évidentes
et naturelles mais recèlent pourtant des surprises
– bonnes ou mauvaises – qu'il est nécessaire d'intégrer
dans nos gestes quotidiens. Il suffit parfois de peu de
chose pour mettre sa santé en danger sans le savoir.
Heureusement, quelques modifications de nos habitudes,
simples et faciles à mettre en œuvre, aident non seule-
ment à diminuer ces risques, mais aussi à améliorer son
bien-être. Suivez le guide...

CHAPITRE 13

Mieux éliminer... en favorisant le transit intestinal

« La vanité qui veut s'exercer trouve toujours matière.
Je sais des gens fiers de leur constipation. »

Charles Regismanset

Passer d'une partie consacrée à l'alimentation à un chapitre sur le transit peut sembler une... transition facile. Et pourtant, si ces sujets sont étroitement liés, ils sont rarement abordés ensemble pour la bonne et simple raison que le second n'est presque jamais évoqué. Par pudeur, par gène, par politesse ou pour beaucoup d'autres motifs rarement avouables, beaucoup d'entre nous ne parlent jamais de leur digestion, y compris avec leur médecin traitant. Or le transit s'avère exposé à de nombreux problèmes potentiels. En dehors des troubles fonctionnels – comme par exemple les ballonnements, le météorisme (autrement dit la présence de gaz dans l'intestin provoquant son gonflement) ou la constipation –, les difficultés de transit sont susceptibles d'engendrer ou de révéler des pathologies graves.

Un double rôle

Le rôle du transit est d'autant plus important qu'il permet à la fois le passage dans l'organisme des nutriments apportés par les aliments et l'évacuation des déchets générés par le processus de digestion. S'il est trop rapide, comme dans le cas de diarrhées fréquentes, les aliments sont moins bien absorbés au niveau intestinal et le corps ne profite pas de tous leurs nutriments. Ils ne restent en effet pas suffisamment en contact avec la muqueuse intestinale pour que les mécanismes physiologiques d'assimilation se déroulent normalement. À l'inverse, si le transit est lent, le sujet souffrira de constipation. Dans ce cas, les matières fécales vont rester longtemps au niveau du rectum. Or stocker les déchets produits par l'organisme n'a rien de bon pour celui-ci : l'augmentation du temps de contact entre la muqueuse du rectum, les gaz et les matières fécales n'est pas sans risque à long terme.

Un équilibre subtil

Ni trop lent, ni trop rapide : tel est l'équilibre à trouver pour un bon transit. Mais concrètement, comment y parvenir ? Il faut d'abord savoir que le fonctionnement du transit ne dépend pas uniquement des aliments que nous consommons quotidiennement. Des facteurs externes, comme l'activité physique par exemple, entrent également en ligne de compte. En cas de problème, il faut agir non seulement au niveau nutritionnel, mais surtout mettre en place des mesures hygiéno-diététiques plus larges. Il existe aussi des traitements médicamenteux, à n'envisager que dans des cas spécifiques compte tenu de leurs effets secondaires irritants.

La difficulté est qu'avant de prendre quelque mesure que ce soit, il faut déjà que les éventuels problèmes aient été diagnostiqués et donc mentionnés par la personne qui en souffre. Cela nécessite de franchir deux étapes : d'abord identifier les troubles potentiels, ensuite oser en parler avec son praticien. Commençons donc par le commencement : le fait de se surveiller soi-même en se montrant attentif aux dysfonctionnements de son propre corps.

L'autosurveillance : un point capital

En matière de prévention, rien ne peut remplacer la vigilance qu'une personne porte à elle-même. Il est nécessaire d'avoir envers notre organisme un regard presque similaire à celui d'une maman sur son nourrisson : si son enfant présente des troubles intestinaux, elle s'en inquiétera et appellera son médecin sans attendre. La même attention doit s'appliquer chez les adultes, car les troubles du transit, outre leur caractère généralement déplaisant, peuvent aussi constituer des signaux annonciateurs de pathologies graves comme les cancers digestifs, pour lesquels la précocité du diagnostic est un facteur essentiel de guérison. Négliger des symptômes parce qu'ils semblent bénins, qu'il est gênant d'en parler ou simplement parce qu'on estime qu'ils vont « passer tout seuls », c'est donc potentiellement se mettre en danger.

En tant que médecin, j'ai ainsi été souvent confronté à des patients qui venaient consulter trop tard. Dans les cas de cancers du côlon par exemple – qui représentent la deuxième cause de mortalité par cancer en France –, un diagnostic porté tardivement réduit grandement les chances de sauver le patient. C'est d'autant plus dommageable que, dans de nombreux cas, les sujets concernés révèlent avoir constaté durant des mois, voire des années, des troubles du transit qui leur semblaient complètement anodins et auxquels ils n'ont pas prêté l'attention nécessaire. Leur cas aurait donc pu être détecté plus tôt, permettant la mise en œuvre d'un traitement juste après

l'apparition des symptômes et augmentant ainsi la probabilité d'une guérison.

Pour éviter de tels drames, j'ai choisi de souligner ici
ces petits signes qui doivent nous alerter et les moyens
simples de prévention qui existent face aux problèmes de
transit.

La constipation, c'est parfois risqué...

La constipation se définit de plusieurs manières : soit
par la fréquence des selles (moins de trois fois par
semaine), soit par leur poids (inférieures à 100 grammes
par jour, mais l'histoire ne dit pas comment faire pour
les peser), soit par la difficulté à les évacuer. Elle constitue un symptôme banal qui ne constitue pas à lui seul une
maladie : de fait, on estime que 30 % de la population est
concernée, alors que seulement une personne sur trois
prend la peine de consulter un médecin. Précisons également que la constipation est trois fois plus fréquente chez
la femme que chez l'homme et que sa fréquence augmente avec l'âge.

Concrètement, elle se manifeste de façon très variable
selon les individus. Certains ne se plaignent de rien,
d'autres signalent des ballonnements, des maux de tête,
une mauvaise humeur, une fatigue. Ses causes sont également assez diverses. Il peut d'abord s'agir du fruit
d'erreurs dans l'hygiène de vie, à commencer par le
manque d'activité. Il suffit d'observer des sujets alités
pour mesurer ce lien : la grande majorité d'entre eux
souffrent de constipation. Cela est dû à un problème
mécanique simple : le fait de bouger accélère le transit
en favorisant la descente des aliments dans le tube digestif. Un argument supplémentaire en faveur de l'activité
physique !

Les erreurs nutritionnelles figurent aussi au rang des causes fréquentes de constipation. Certains aliments sont réputés constipants comme les bananes, le riz blanc, le thé noir ou le chocolat, tandis que d'autres, riches en fibres, favorisent le transit intestinal, tels les pruneaux. L'augmentation progressive de la quantité de fibres est donc recommandée en cas de constipation. Il est en revanche préférable d'éviter les aliments provoquant une fermentation durant la digestion type choux, haricots et lentilles : à l'occasion de la stase intestinale, ils provoqueront une augmentation des flatulences et des gaz intestinaux.

Parmi les autres motifs possibles, citons encore le manque d'hydratation. De nombreux cas de constipation s'améliorent en effet avec l'absorption d'au moins deux litres d'eau par jour. Il faut en outre rechercher les éventuelles origines médicamenteuses ou pathologiques de la constipation, surtout lorsqu'elle est d'apparition récente : le ralentissement du transit est ainsi un effet secondaire de certains antidépresseurs. Une hypothyroïdie, un diabète ou le début d'une maladie de Parkinson s'avèrent également susceptibles de provoquer un ralentissement du transit, lequel fait donc aussi office d'alerte face à certaines maladies.

La plupart du temps, les complications dues à la constipation en tant que telle sont rares. Signalons tout de même le cas du fécalome : constitué de matières dures formant une masse au niveau du rectum, il ne peut plus être expulsé. L'extraction devra se faire manuellement par le médecin qui pratiquera un toucher rectal et pourra le fragmenter au doigt ou parfois utiliser un lavement. Cela n'est guère poétique, certes, mais si rien n'est fait, une occlusion intestinale risque de survenir.

Le point essentiel dans le cadre de la constipation est de s'assurer qu'elle ne signale pas l'apparition d'une maladie grave comme un cancer colique. Le caractère récent de la constipation, un amaigrissement concomitant ou la présence de sang dans les selles doivent attirer l'attention, surtout à partir de quarante-cinq ans. Il ne faut pas hésiter à consulter son médecin traitant qui fera pratiquer une coloscopie s'il le juge nécessaire et prescrira un traitement médicamenteux. Il existe d'ailleurs de nombreux produits destinés à traiter la constipation, dont les caractéristiques et les moyens d'action se montrent très différents.

Un mal, beaucoup de remèdes

Il se vend chaque année en France près de soixante millions de boîtes de laxatifs, ce qui est considérable. Mais, comme dit l'adage, « le remède est parfois pire que le mal ». Il convient donc de connaître le mode d'utilisation de ces produits afin d'éviter leurs écueils. Certains laxatifs s'avèrent irritants et doivent être limités à des cas de constipation passagère. Ces médicaments, à base d'anthraquinone, de phénolphtaléine ou encore d'aloès, de bourdaine, de séné ou de cascara (ce qui leur donne une apparence de produit « naturel ») sont susceptibles de provoquer des déshydratations, une baisse du taux de potassium dans l'organisme et des irritations coliques. Ils sont donc formellement déconseillés dans le cadre d'un usage quotidien.

Pour les constipations chroniques nécessitant un traitement au long cours, il est préférable d'employer des produits plus doux comme les mucilages. Composés de carraghénates, de graines d'ispaghul, de sterculia, d'hémicellulose de psyllium, ils contiennent souvent des absorbants comme le kaolin ou de l'huile de paraffine. Cette dernière, qui peut aussi être utilisée seule, agit en véritable lubrifiant par une action typiquement mécanique. Il est préférable d'ingérer ces produits avant les repas afin de maximiser leur efficacité. Citons également le lactulose qui provoque une augmentation de l'hydratation des selles et une stimulation du péristaltisme intestinal, ou le polyéthylène glycol qui entraîne lui aussi une meilleure hydratation du bol fécal. L'utilisation de suppositoires, qu'ils soient à dégagement gazeux ou à la glycérine, s'avère souvent efficace et sans risque.

Savoir bien surveiller ses selles

Au-delà de la constipation, être attentif à son transit nécessite de prêter attention à la qualité de ses selles. Cela peut sembler incongru au premier abord et pourtant, il suffit d'observer les mères, souvent angoissées par les selles de leurs bébés, pour comprendre qu'elles constituent un indicateur de santé important. Si, chez les nouveau-nés, la fréquence, la couleur, l'odeur, la consistance des déjections sont observées quotidiennement, au même titre que le poids par exemple, à l'âge adulte, surveiller ses propres selles reste un bon moyen de contrôler son état de santé.

On peut d'ailleurs regretter que les bilans sanguins n'incluent que rarement la recherche de sang dans les selles. En effet, si cette analyse s'avère positive, on procédera systématiquement au dépistage du cancer du côlon dont, répétons-le, le pronostic est en relation directe avec la précocité du diagnostic. Quand on sait que ce cancer atteint chaque année 36 000 nouveaux Français et provoque 16 000 décès, on conçoit aisément la nécessité d'employer tous les moyens possibles pour un diagnostic aussi précoce que possible.

La recherche de sang dans les selles en fait partie, mais ce sang n'est pas forcément visible à l'œil nu dans les premiers temps d'un cancer colique. Des tests simples pouvant être pratiqués à la maison ont donc été développés. Ils permettent d'effectuer des contrôles réguliers grâce à différentes techniques. Pour l'Hémocheck® par exemple, le test dure entre deux et cinq minutes. Il se présente sous la forme d'une feuille de papier qu'il faut jeter dans la cuvette des toilettes après avoir déféqué. Si une croix verte apparaît sur le papier après quelques minutes, le test est positif et il faut en informer rapidement son médecin traitant. Précisons toutefois qu'il est recommandé de ne pas effectuer ce test au moment des règles ou après avoir pris de l'aspirine car ces deux éléments peuvent fausser le résultat.

Les Japonais sont, quant à eux, allés beaucoup plus loin : ils ont inventé des toilettes capables d'analyser quotidiennement les selles et d'en livrer le résultat immédiatement ! Comme nous ne sommes pas près de disposer de ce bijou technologique, nous devons donc nous fier à des indicateurs plus directs, tels que le calibre et la couleur.

La présence de sang peut se manifester par deux couleurs différentes : du sang rouge, souvent visible sous forme de traces en superficie, signale généralement des problèmes banaux comme des hémorroïdes. Mais attention, un cancer du rectum ou du côlon sont également envisageables, d'où la nécessité impérative de consulter son praticien. Une couleur noire révèle en revanche une lésion située plus haut dans le tube digestif. Comme le sang qui s'écoule au niveau de la lésion est digéré, cela explique sa couleur foncée. Dans ce cas, l'estomac, l'œsophage ou l'intestin grêle étant susceptibles d'être atteints, il faut également consulter.

Autre possibilité : des selles décolorées, qui traduisent un dysfonctionnement du foie ou de la vésicule biliaire. La bile ne s'écoulant pas correctement, les selles deviennent blanchâtres ou couleur mastic. Cela se produit notamment dans le cadre d'hépatites virales et de cancers du foie ou du pancréas.

Les selles vertes, fréquentes chez le nourrisson, indiquent quant à elles un transit trop rapide, au cours duquel la bilirubine, un composant de cette couleur verte résultant de la dégradation des globules rouges et qui est éliminée dans les selles, n'a pas le temps de se transformer en stercobiline de teinte marron. La couleur verte n'est pas nécessairement un facteur de gravité (tout le monde a, en effet, déjà vu une telle teinte après avoir mangé des épinards) : il suffit souvent de ralentir le transit pour régler le problème. Si ce n'est pas le cas, le bon réflexe est une fois encore d'en parler à son praticien.

En dehors de la couleur, il faut également surveiller le calibre des selles. La diminution progressive de celui-ci constitue un avertissement à ne pas négliger, parce que cela traduit la présence possible d'un obstacle à l'intérieur du tube digestif pouvant correspondre à une tumeur.

En conclusion, il convient de ne pas négliger les éventuelles perturbations du transit intestinal et de les signaler à son médecin, surtout après quarante-cinq-cinquante ans. Quelques réflexes simples, comme celui de surveiller une fois par mois à l'œil nu la couleur et le calibre de ses excréments et surtout de pratiquer un test de dépistage type Hémocheck® une fois par an, permettraient de diagnostiquer plus précocement certains cancers particulièrement meurtriers comme celui du côlon. Par ailleurs, surveiller son transit permet de mettre en place des mesures hygiéno-diététiques qui améliorent à la fois la prévention des maladies et le confort de chacun au quotidien. Il existe d'ailleurs de nombreux moyens pour améliorer encore celui-ci et éviter certains désagréments... comme nous allons le voir.

CHAPITRE 14

Éliminez... les gaz

« Les gens sans bruit sont dangereux.
Il n'en est pas ainsi des autres. »

Jean de la Fontaine

L'élimination des gaz intestinaux constitue un des tabous forts de notre société. Ce processus naturel a beau concerner tous les êtres humains sur Terre, quels que soient leur âge, leur classe sociale, leur mode de vie, il reste considéré dans de nombreux pays comme particulièrement déplacé. Dès lors, au-delà de refuser d'évoquer ce thème sujet à d'innombrables blagues rarement de bon goût, au quotidien, beaucoup essayent de se retenir le plus longtemps possible afin de ne pas se faire remarquer par des bruits ou des odeurs intempestives.

Cette crainte est si forte que les aliments réputés augmenter les gaz intestinaux, comme les haricots secs, sont de moins en moins consommés. En somme, la gêne culturelle occasionnée par les gaz modifie progressivement les habitudes alimentaires. Or si certains plats ou ingrédients constituent effectivement un facteur favorisant, ils ne sont pas les seuls à mettre en cause : un mauvais équilibre de la flore intestinale favorise également l'émission de gaz intestinaux. Et ce déséquilibre cache peut-être un problème digestif allant bien au-delà des simples flatulences gênantes...

Afin de faire la part des choses, levons donc pour une fois le tabou et osons aborder un sujet qui nous concerne tous.

Une question très personnelle

Le corps produit en moyenne entre un demi-litre et deux litres de gaz intestinaux par jour selon les individus. Ils résultent de l'air avalé au cours des repas et de la fermentation bactérienne se déroulant au niveau des intestins. Faute d'être évacués, ils génèrent une sensation d'inconfort, de ballonnements, ainsi qu'une augmentation du volume de l'abdomen pouvant s'avérer pénible. La question de risques éventuels pour la santé lorsqu'ils sont trop abondants ou que le sujet « se retient » toute la journée doit à mon sens être posée clairement. Car, en dehors de l'inconfort digestif et des questions de politesse ou de convivialité engendrées, les gaz intestinaux sont susceptibles d'être agressifs pour les muqueuses avec lesquelles ils sont en contact. Plus ce temps de contact est élevé, plus les risques de complications augmentent. À chacun de trouver la solution qui lui convient pour éviter une accumulation trop longue.

Cette question est d'autant plus personnelle que la quantité de gaz, leur composition et donc leur odeur varient grandement d'un individu à l'autre. Et ce, selon ses habitudes alimentaires et sa flore intestinale. Il existe toutefois un point commun : la composition de base des gaz intestinaux – issus d'un mélange de diazote, dioxyde de carbone, dihydrogène, méthane et dioxygène – est inodore. Les proportions des composants changent selon les personnes, mais cet aspect n'a pas beaucoup d'incidence. En revanche, 30 à 50 % des individus présentent des germes anaérobies au niveau du côlon. Lesquels provoquent la synthèse de méthane supplémentaire à partir de dioxyde de carbone et du dihydrogène. Les odeurs désagréables sont quant à elles issues de la fermentation bactérienne de résidus protéiques provoquant la formation de composés gazeux : H2S, NH3, indol, scatol, acides gras volatils (acides butyrique et propionique) et mercaptane par exemple. Notons par ailleurs que certains aliments engendrent des flatulences abondantes mais non odorantes, comme les haricots secs. À l'inverse, d'autres sont à l'origine de gaz en faible quantité mais à l'odeur forte. Cela provient de leur teneur élevée en soufre, comme dans le cas du chou-fleur.

À tous ces facteurs s'ajoute la qualité de la flore intestinale, dont l'importance reste méconnue du grand public mais pas des scientifiques. Ils savent notamment qu'un excès de gaz traduit souvent un déséquilibre de cette flore découlant peut-être de troubles intestinaux graves.

Des probiotiques pour une flore intestinale en pleine forme

L'écologie microbienne de l'appareil digestif constitue un facteur important de bonne santé et a été étudiée de près par diverses équipes de recherche. En effet, le flux fécal véhicule des substances capables de favoriser la survenue de cancers. De nombreuses expérimentations ont donc été menées afin de déterminer si certaines bactéries présentes dans l'appareil digestif pouvaient ralentir ou accélérer l'effet de ces carcinogènes. Cette question s'avère d'autant plus importante qu'il est possible de fournir ces bactéries à l'organisme par l'administration de produits dits probiotiques. Lesquels favorisent le développement de bactéries utiles au bon fonctionnement du corps, comme les bifidobactéries aujourd'hui utilisées dans certains produits laitiers.

Pour en savoir plus sur l'effet de ces micro-organismes, des chercheurs ont étudié des cas d'adénomes coliques connus sous le nom de polypes. Il s'agit de tumeurs bénignes de l'intestin présentant, lorsqu'elles grossissent, 30 % de risques d'évoluer vers un cancer (ce taux justifie d'ailleurs le bien-fondé des coloscopies de dépistage réalisées par les gastro-entérologues). Les travaux ont porté dans un premier temps sur des rats exposés à des produits chimiques cancérigènes et à qui on a administré des probiotiques. Les mécanismes étudiés étaient la génotoxicité, l'inhibition de l'activité d'enzymes coliques, le contrôle de la croissance de bactéries potentiellement néfastes et la production de métabolites physiologiquement actifs. Les produits toxiques inoculés aux rats produisent habituellement des lésions intestinales qui constituent autant de marqueurs précancéreux. Or les résultats de l'étude ont montré une diminution de ces lésions chez les sujets ayant reçu des probiotiques contenus dans des yaourts. D'autres travaux ont montré une incidence des bactéries sur les tumeurs elles-mêmes. Les effets des probiotiques chez l'animal s'avèrent donc encourageants.

Chez l'homme, les premières enquêtes vont dans le sens d'un effet possible des yaourts fermentés sur la diminution des facteurs de risque de certains cancers digestifs. L'une d'elle a établi que les consommateurs réguliers de yaourts voyaient leur risque de survenue des gros adénomes intestinaux (les fameux polypes) réduit de moitié ! Étant donné le danger de transformation des polypes en tumeurs malignes, cette découverte n'a rien d'anodin. Une étude japonaise récente portant sur 45 181 hommes et 62 643 femmes a quant à elle révélé que les hommes consommateurs de yaourts au bifidus avaient deux fois moins de risques d'être atteints d'un cancer du rectum. Ces données sont prometteuses, mais il faut toutefois attendre les résultats d'autres protocoles de recherche pour disposer de véritables certitudes quant à l'action des yaourts au bifidus dans la prévention des cancers coliques et du rectum. Néanmoins, nous pouvons d'ores et déjà recommander leur consommation régulière car ils ne souffrent d'aucune contre-indication et se montrent bénéfiques pour la flore colique. Leur action contribue dans certains cas à diminuer l'émission de gaz intestinaux. D'autres habitudes simples et faciles à adopter aident également à cela.

Prendre son temps pour éviter les désagréments

L'un des meilleurs moyens de réduire les flatulences consiste à avaler moins d'air lorsqu'on mange, en commençant par ne pas se jeter sur la nourriture. S'alimenter le plus lentement possible en prenant le temps de bien mastiquer fournit de bons résultats. Le contexte des repas a aussi son importance : il est essentiel de se détendre, d'opter pour des atmosphères calmes, sans trop de bruit. De ne pas oublier non plus la formule de politesse maintes fois entendue : « On ne parle pas la bouche pleine. » Car, outre les effets sur l'intelligibilité du discours, le fait de parler en mangeant augmente la quantité d'air ingérée. Lors de repas conviviaux au cours desquels on parle beaucoup et longtemps, il arrive que la quantité d'air absorbée devienne excessive. Le sujet ressent une sensation de malaise, d'indigestion sans nécessairement avoir trop mangé. L'inconfort est en fait lié à la trop grande quantité d'air dans l'estomac et le tube digestif. Il existe une façon rudimentaire de régler le problème immédiatement mais elle n'a rien d'agréable : se mettre les deux doigts au fond de la gorge, à la limite du vomissement, pour faire remonter l'air et se sentir mieux.

Quant aux cadres stressés se contentant de grignoter un sandwich en allant d'un rendez-vous à l'autre, sachez que manger en marchant est la méthode parfaite pour avaler un maximum d'air... qu'il faudra bien évacuer plus tard !

Bien sûr, ces recommandations se révéleront moins efficaces si le repas se compose d'aliments favorisant l'émission de gaz intestinaux. Ceux-ci sont plus nombreux qu'on pourrait le penser et pas toujours connus, comme nous allons le voir.

Des aliments qui ne manquent pas d'air...

En matière de flatulences, on incrimine 99 fois sur 100 des aliments solides. Or la consommation de boissons a aussi une incidence, tels les liquides très chauds qui nous forcent à inspirer beaucoup d'air pour tenter de les rafraîchir. Mieux vaut les laisser tiédir naturellement avant de les boire. Il est en outre préférable d'utiliser un verre ou un gobelet : pailles et goulots sont à proscrire car eux aussi augmentent le volume d'air avalé. Les sodas fruités sucrés avec du fructose constituent une autre source de désagréments. Le fructose de synthèse utilisé en agroalimentaire peut d'ailleurs être à l'origine d'une augmentation des triglycérides dans le sang, d'où l'intérêt de ne pas en consommer trop régulièrement. Enfin, en toute logique, certaines boissons gazeuses comme la bière sont déconseillées aux personnes souffrant de flatulences.

Parmi les aliments à éviter, citons les bonbons, les gommes et les confiseries dures qui nécessitent une mastication excessive durant laquelle on ingère encore trop d'air. En outre, ces produits se montrent généralement peu digestes, surtout s'ils sont sans sucre car celui-ci est remplacé par du sorbitol, un ingrédient rarement apprécié par l'appareil digestif. Certains légumes à feuilles, tels la laitue ou les choux, provoquent encore une augmentation du volume d'air avalé du fait de leur consistance. Au rayon des produits laitiers, il faut savoir que le lactose, peut être mal digéré par certaines personnes. Il existe pour elles du lait délactosé aux qualités nutritionnelles proches d'un lait classique.

Les légumes, souvent dotés d'une mauvaise réputation en la matière, nécessitent une vigilance particulière. Nous l'avons dit et redit, étant particulièrement bénéfiques pour l'organisme, il serait donc dommage de s'en priver pour des raisons d'inconfort digestif. Le tout est de trouver le bon équilibre entre les différents légumes et de connaître quelques astuces pour circonscrire leurs effets indésirables. Ainsi, comme les fibres ont tendance à générer des gaz lorsqu'elles sont consommées en trop grande quantité, il est préférable de fragmenter les prises. De leur côté, haricots secs, lentilles et pois secs méritent leur notoriété. Ce sont de bons aliments sur le plan nutritionnel mais ils renferment certains glucides difficiles à digérer. Toutefois, on peut réduire cet inconvénient en les laissant tremper plusieurs heures et en les rinçant bien avant de les faire cuire. Le mode de préparation a d'ailleurs son importance, puisque certaines personnes ne supportent pas les légumes crus mais les tolèrent parfaitement cuits.

Pour clore ce chapitre, je voudrais insister sur le fait que la question des gaz intestinaux est plus globale que le tabou auquel on la réduit trop facilement. Elle constitue en effet un indicateur de l'état de santé général et contribue à mettre en évidence des habitudes hygiéno-diététiques nécessitant une remise en cause. Le fait de fumer ou les écoulements rhino-pharyngés chroniques sont également des vecteurs de flatulences car ils augmentent la quantité d'air ingérée. Passer en revue nos habitudes quotidiennes peut donc nous permettre de limiter sensiblement les désagréments des gaz. Mais si ceux-ci persistent, il ne faut pas hésiter à en parler à son médecin traitant afin de ne pas laisser s'installer une pathologie plus sérieuse.

Chapitre 15

Éliminez... dans le bon sens

> *« Entre le bon sens et le bon goût,*
> *il y a la différence de la cause à son effet. »*

Jean de La Bruyère

Il existe un autre sujet tabou concernant la digestion, lequel relève encore davantage du domaine pathologique : le reflux gastro-œsophagien.

Ce mécanisme est souvent associé au fait de roter, lui-même considéré comme impoli dans les sociétés occidentales. Il s'agit en réalité de deux choses bien distinctes. En effet, un simple rot se caractérise par une émission de gaz provenant de l'estomac. Dans le cas d'un reflux, c'est une partie du contenu de l'estomac qui va remonter dans l'œsophage puis dans la bouche. Or ce contenu est particulièrement nocif pour les muqueuses.

Imaginez que vous appliquiez de l'acide fortement dosé sur la peau de votre bras. L'épiderme va très rapidement souffrir de petites brûlures voire présenter des complications telles que des érosions et la peau à vif deviendra plus sensible aux infections. C'est exactement ce qui se produit dans l'œsophage et dans la bouche lors des reflux. Même les dents sont susceptibles d'être touchées par le biais d'une destruction partielle de l'émail. Quand on connaît la solidité de celui-ci, on devine aisément les dégâts occasionnés par les acides gastriques sur l'œsophage ! Ils risquent aussi de provoquer des lésions au niveau du rhinopharynx ou des poumons, ces dernières se traduisant par des irritations ou des toux inexpliquées.

S'ils sont trop fréquents et non traités, les reflux vont augmenter les risques de développement de maladies graves comme les cancers de l'œsophage. Or la France est le pays d'Europe présentant le plus fort taux d'incidence de ce cancer. Outre l'excès de tabac, d'alcool et de boissons brûlantes, les autorités sanitaires ont d'ailleurs identifié le reflux gastro-œsophagien comme une cause possible. En bref, il ne faut surtout pas négliger ce problème. Voyons de quoi il retourne précisément

Maman avait raison...

Pour une maman, ne jamais coucher un nourrisson avant qu'il ait fait son rot apparaît comme une évidence incontournable. La crainte d'une régurgitation provoquant l'étouffement de l'enfant pendant son sommeil donne aux mères une infinie patience face à ce signal. Malheureusement, ces habitudes, pleines de bon sens, se perdent à l'âge adulte : combien de personnes se couchent trop vite après le repas ou restent en position semi-allongée devant la télévision ? Elles ignorent sans doute que la digestion suit la loi de la pesanteur et s'effectue beaucoup mieux lorsque nous restons debout ou assis mais se voit freinée par la position allongée.

La nature a toutefois bien fait les choses puisqu'il existe à l'entrée de l'estomac une sorte de clapet anti-retour. Il permet aux aliments de descendre vers l'estomac mais les empêche d'effectuer le trajet inverse, y compris lorsqu'on s'allonge. Le problème est qu'environ un tiers de la population souffre – à des degrés divers – d'une maladie appelée hernie hiatale. Celle-ci se caractérise par le fait qu'une petite partie de l'estomac remonte au-dessus du diaphragme et forme une sorte de poche à l'origine d'aigreurs et de brûlures gastriques. En effet, un phénomène de glissement fait le plus souvent passer une partie du contenu de l'estomac à travers l'orifice œsophagien du diaphragme. Les femmes sont les plus touchées par cette affection, en particulier après cinquante ans. Ces hernies passent parfois complètement inaperçues, mais dans d'autres cas elles se traduisent par des douleurs thoraciques, un essoufflement voire des extrasystoles. La plupart du temps, elles provoquent en outre un reflux gastro-œsophagien.

Attention aux renvois fréquents

Comme souvent en médecine, une même manifestation peut voir différentes causes. Ainsi, de nombreuses personnes se plaignent de renvois acides remontant dans la gorge et la bouche, accompagnés d'éructations sporadiques, sans nécessairement être atteintes d'une hernie hiatale. L'augmentation de la pression abdominale – liée à l'obésité ou à une grossesse par exemple – constitue une cause possible. Il s'agit parfois tout simplement de la conséquence d'un repas trop copieux, riche en lipides et en alcool. Les symptômes décrits varient, allant d'une simple sensation désagréable en bouche associée à de nombreux renvois jusqu'à l'arrivée de liquide brûlant et acide dans la gorge produisant une gêne prononcée. Citons aussi le cas assez courant appelé « signal du lacet de chaussure », qui se traduit par un petit renvoi acide lorsque la personne se baisse pour lacer ses chaussures.

Les sujets touchés par ces désagréments les associent seulement à une digestion difficile, alors qu'ils peuvent être à l'origine de réelles maladies.

Des conséquences en cascade

L'une des suites des reflux acides est l'érosion dentaire qui a été décrite à de nombreuses reprises par les dentistes. Il s'agit d'un processus irréversible détruisant l'émail. Les chercheurs estiment que ce phénomène concerne potentiellement 18 % de la population, sous des formes plus ou moins sévères.

Dans des cas plus rares, le reflux provoque à la longue un rétrécissement de l'œsophage appelé sténose peptique. Il passe inaperçu jusqu'à ce qu'un corps étranger reste bloqué dans le conduit œsophagien, nécessitant souvent une intervention d'urgence. Dans d'autres cas, ce sont des infections ORL qui surviennent ou des toux chroniques d'irritation bronchique.

L'élément le plus inquiétant reste toutefois le lien entre l'agression fréquente de la muqueuse par les acides gastriques et la survenue de cancers de l'œsophage, dont l'incidence a plus que triplé en trente ans. De nombreuses recherches ont démontré l'existence de ce lien, ce qui rend impérative la nécessité de limiter autant que possible les reflux, soit par l'adoption de mesures hygiéno-diététiques, soit par des traitements médicamenteux. Une fois encore, je conseille donc aux personnes souffrant de remontées acides fréquentes d'en parler avec leur médecin traitant qui prendra les mesures adaptées à la situation notamment la prescription d'antiacides. En complément, il n'est pas inutile de remettre en cause certaines habitudes imposées par les règles de politesse mais nocives pour l'organisme.

Quand la politesse est mauvaise conseillère

Dans l'immense majorité des cas, le réflexe d'une personne présentant une remontée acide en bouche sera de la ravaler, la politesse voyant d'un très mauvais œil le fait de cracher en présence de son entourage. Pourtant, il semble indispensable de commettre une entorse aux règles du savoir-vivre dans ce contexte précis, en recrachant discrètement ce liquide. Un seul passage des acides gastriques dans l'œsophage produit à lui seul un effet désastreux sur la muqueuse, sans parler de l'inhalation dans les bronches. Il ne faut donc surtout pas les réabsorber sous peine d'entraîner un autre passage aggravant les dégâts.

Dans le même ordre d'idée, on peut s'interroger sur le bien-fondé de la convention sociale proscrivant le rot. Il correspond à un processus physiologique que nous connaissons tous : une sensation de pression gastrique annonçant l'arrivée imminente d'une éructation. S'il est tabou dans de nombreux pays, ce n'est pas le cas partout dans le monde. Dans certaines régions, il est au contraire de bon ton de roter à la fin du repas pour montrer sa satisfaction. Cela peut nous sembler incongru mais c'est une bonne idée puisqu'en évacuant ainsi l'air accumulé dans l'estomac, on réduit la pression qui s'exerce sur celui-ci, en diminuant par la même occasion le risque de remontées acides dans l'œsophage. Ce mécanisme fonctionne selon un principe très simple : imaginez une poche souple remplie de liquide et reliée par en haut à un tuyau. Si on presse cette poche, sa contenance diminue et le liquide va naturellement monter dans le tuyau. Si on relâche la pression, ce liquide va au contraire redescendre et retourner dans la poche. Cette logique se retrouve à l'identique au niveau de l'estomac. En évacuant l'air qu'il contient, on relâche la pression qu'il subit et les acides remontent moins dans le tuyau qu'est l'œsophage.

La conclusion sur cette question s'impose d'elle-même : une fois encore, il est nécessaire de sortir des schémas de pensée préétablis sous peine de continuer à subir des désagréments qui n'ont pas lieu d'être et qui risquent de s'avérer dangereux à long terme. Cessons donc de considérer les phénomènes de reflux comme des contraintes normales à supporter en silence. Ils correspondent souvent à un véritable problème médical qu'il ne faut surtout pas taire, sous peine de retarder le diagnostic de maladies très lourdes comme des cancers. En outre, ce sujet impose d'enfreindre les règles de politesse qui ne méritent pas qu'on leur sacrifie la santé. Tout est une question de tact et de discrétion... en un mot, de bon sens !

CHAPITRE 16

Éliminez... en urinant

« L'eau qui ne court pas fait un marais. »

Victor Hugo

Passer en revue les systèmes d'élimination physiologique du corps humain sans évoquer le rôle fondamental de l'urine n'aurait pas de sens. De prime abord, on pourrait croire qu'il y a peu à dire sur le sujet tant le fait d'uriner semble une évidence. En réalité, ce sujet est plus vaste qu'il n'y paraît et représente un véritable enjeu en matière de santé, comme l'ont révélé de nombreuses études médicales approfondies. En s'y intéressant, on se trouve confronté pêle-mêle à un astronome danois du XVIe siècle, des cuisinières en danger, des écoliers trop timides, des maladies graves, des patrons de café peu amènes ou encore des chercheurs bien inspirés. Autant d'ingrédients qui pourraient composer la trame d'un roman mais qui n'ont en fait rien d'une fiction. Et qui nous concernent directement.

Un système très élaboré

Pour commencer, il n'est pas inutile de rappeler comment fonctionne le système urinaire. Tout débute au niveau des reins qui, contrairement aux idées reçues, ne se situent pas en bas du dos mais à la hauteur de la

douzième vertèbre dorsale et des deux premières ver-
tèbres lombaires. Ils mesurent environ 12 cm de long sur
6 cm de large et 3 cm d'épaisseur. Une couche de graisse
les entoure, sa taille variant selon la surcharge pondérale
de 2 à 6 cm. Le lien avec la vessie est assuré par l'ure-
tère, un conduit mesurant environ 25 cm.

Les reins jouent un rôle de filtre au travers duquel
transitent chaque jour des centaines de litres de sang. En
simplifiant, on peut distinguer d'un côté les glomérules
– comparables à des tamis d'une efficacité et d'une
robustesse exceptionnelles –, chargés d'éliminer les
impuretés présentes dans le sang, et de l'autre les tubules
rénaux, dont la mission est de réabsorber les constituants
nécessaires à la vie, dont l'eau. Le système rénal constitue donc une sorte de chaîne de tri permettant d'évacuer
via l'urine les déchets produits tous les jours par l'organisme et de recycler les composants utiles à celui-ci.
L'appareil urinaire participe également à la régulation de
la pression artérielle et au maintien de l'équilibre
hydrique et hydro-électrolytique du milieu intérieur.
L'urine ne représente donc qu'une petite fraction du travail des reins. La quantité émise est minime par rapport
au flux sanguin traité chaque jour puisqu'elle s'élève à
environ un litre par vingt-quatre heures.

Un organe assez tolérant, mais qui a ses limites

Cette production quotidienne explique que nous
devions uriner plusieurs fois par jour, puisque la capacité de la vessie varie de 250 ml à presque un demi-
litre selon les individus. Elle se montre assez prévoyante
puisque le besoin d'uriner se fait ressentir lorsque sa

contenance atteint 150 ml : les fibres musculaires vésicales s'étendent, ce qui envoie au cerveau un message
d'intensité modérée. Le sujet peut choisir d'aller uriner
tout de suite ou d'attendre, auquel cas les muscles vont
se relâcher, faisant baisser la pression à l'intérieur de la
vessie. Cela fait disparaître l'envie d'uriner mais, pendant ce temps, la vessie continue de se remplir progressivement. Bien plus tard, après plusieurs heures parfois,
un nouveau besoin se fera ressentir, plus fortement cette
fois. Ce stade correspond en général à une quantité
d'urine d'environ 300 ml. Là encore, on peut décider de
jouer les prolongations : la vessie ayant la capacité de se
distendre jusqu'à contenir un litre, les choses peuvent
durer !

Quatorze millions de Français ont tendance à se retenir d'uriner dans la journée !

De fait, beaucoup de personnes agissent ainsi. Une
enquête spécialement effectuée pour cet ouvrage montre
ainsi que pas moins de 14 millions de Français auraient
tendance à se retenir d'uriner. Un chiffre aussi étonnant
que faramineux lié à un sondage on ne peut plus
édifiant[1].

À la question : « De manière générale, avez-vous tendance à vous retenir de faire pipi dans la journée ? »,
22 % des Français répondent « oui ». Et si on cherche à
en savoir un peu plus : « En moyenne, combien de fois
dans la journée vous retenez-vous ? », on obtient 62 %
pour « moins de trois fois », 35 % pour « trois fois et
plus », 3 % étant sans opinion.

---

1. TNT Sofres Omnibus pour Flammarion, réalisé auprès de
1011 personnes en mars 2008.

Existe-t-il, sur ce sujet, une différence entre les sexes ou l'âge ? Oui. On constate, par exemple, que les « attentistes » – si je puis dire – sont plus nombreux parmi les femmes (29 % contre 22 % au global) et chez les moins de 35 ans (31 % contre 22 % au global). Autres données instructives de ce sondage exclusif : les hommes sont plus nombreux à se retenir de faire pipi moins de trois fois par jour (71 % contre 57 % pour les femmes). Et la proportion de ceux qui se retiennent moins de trois fois par jour ressort plus élevée chez les moins de 35 ans (72 % contre 62 % au global).

Les résultats de cette étude attestent donc que le fait de se retenir d'uriner n'est en rien un phénomène rare. Pire, il touche une partie significative de la population, dans la mesure où 22 % des personnes interrogées, correspond – par extrapolation – à environ 14 millions de Français. En outre, il est possible que ce chiffre soit supérieur, tant il n'est pas aisé de répondre franchement à des questions aussi intimes dans le cadre d'un sondage.

L'ennui, c'est que ce genre de comportement a des répercussions nocives.

Un précédent historique fâcheux

Le problème est que, à l'image des règles propres à certains sports, la mort subite n'est pas à exclure, comme en témoigne le célèbre cas de Tycho Brahe. Ce Danois fut l'un des plus grands savants du XVIe siècle, notamment en astronomie et en mathématiques. Son passage à la postérité est dû à la qualité de ses travaux, mais aussi à la façon dont il est décédé, qui est d'ailleurs devenue le thème d'une expression populaire tchèque traduisible par « Je ne veux pas mourir comme Tycho Brahe ». Cette phrase constitue une façon polie de signaler qu'on souffre d'une envie pressante d'aller aux toilettes. Quel rapport avec l'homme de science ? Lors d'un déplacement de la cour de l'empereur Rodolphe II, ses qualités lui valurent d'être invité à voyager dans le carrosse impérial. Au cours du trajet, particulièrement long, Tycho Brahe n'osa pas demander à s'arrêter pour pouvoir uriner. À force de se retenir, il atteignit les limites que sa vessie pouvait supporter et en serait mort.

Cette anecdote historique est riche d'enseignements. Elle illustre d'abord le fait qu'un contexte spécifique peut pousser quelqu'un à différer la nécessité d'uriner, ce qui se produit très souvent comme nous allons le voir ; elle indique ensuite que trop se retenir peut s'avérer dangereux. Il n'est d'ailleurs pas nécessaire de patienter aussi longtemps que l'astronome danois pour mettre sa santé en péril sur le long terme...

De bonnes raisons d'attendre ?

Les voyages en carrosse impérial ne sont plus légion dans notre société actuelle, mais il subsiste de très nombreuses circonstances poussant les gens à mettre entre parenthèses leur envie d'aller aux toilettes. À commencer par l'absence de celles-ci ou leur manque de propreté. Bien sûr, il est toujours possible de se rendre dans un café ou un restaurant mais, en pratique, de nombreuses personnes n'osent pas le faire de peur de croiser le regard réprobateur du patron si elles ne consomment pas. Or elles n'ont pas nécessairement l'envie, le temps ou les moyens de prendre un verre juste pour pouvoir se soulager.

La timidité freine aussi de nombreux écoliers. Effrayés à l'idée de lever la main en classe pour demander à sortir, ils vont se tortiller toute la matinée sur leur banc en attendant la récréation. Les adultes ne sont pas épargnés, certains étant terriblement gênés à l'idée de quitter une réunion pour se rendre aux W-C. De même, lors de trajets en train, des passagers assis côté fenêtre préfèrent se retenir tout le voyage plutôt que de déranger leur voisin. Quant aux ados adeptes de jeux vidéo, ils restent parfois de longues heures rivés à leur écran en oubliant d'aller faire pipi.

Enfin, il faut savoir que certains hommes souffrent d'un syndrome dit de la vessie timide, dont le nom médical est parurésie. Il touche des sujets qui ne parviennent pas à uriner dans des lieux publics en présence d'autres personnes. Cette impossibilité peut survenir partout, au travail, dans un restaurant, etc. Dans les formes sévères, la simple présence du conjoint ou de toute personne au domicile peut déclencher un blocage.

On le voit, les circonstances quotidiennes poussant quelqu'un à différer son envie d'uriner sont multiples, et les tendances de la vie actuelle ne font qu'amplifier ce phénomène. Or cela pose un certain nombre de problèmes qu'il serait dangereux de négliger.

Ne pas remettre à demain ce qu'on peut faire le jour même

Comme nous l'avons évoqué à propos de la constipation, le fait d'augmenter le temps de contact avec les déchets produits par le corps n'a rien de recommandable. L'urine contient aussi des composants nocifs pour l'organisme, il faut donc éviter d'y exposer trop longuement les muqueuses, sans quoi les risques d'être atteint d'un cancer augmentent. En clair, les personnes ayant l'habitude de se retenir souvent d'uriner sont plus exposées que les autres aux maladies cancéreuses. Cette relation semblera peut-être étonnante voire exagérée à certains, mais elle n'a rien de l'hypothèse fantaisiste. Elle résulte au contraire de différentes études médicales tout à fait sérieuses qui ont révélé des éléments particulièrement frappants. L'une d'elle, effectuée par une équipe italienne et publiée en 2007, a analysé la composition des urines chez trois cents personnes après une nuit de sommeil. Les chercheurs ont concentré leurs travaux sur la présence dans les urines matinales de substances cancérigènes. Cela leur a permis d'établir formellement l'augmentation du taux de ces substances dans l'urine des sujets qui avaient pris la veille au soir des repas particulièrement riches ou inhalé des fumées liées à la cuisson des aliments. Par extension, ils ont estimé que le contact prolongé de ces produits cancérigènes avec la muqueuse vésicale avait sans doute une incidence sur la survenue des cancers de la vessie. Très concrètement, cela revient à dire que le simple fait de cuisiner régulièrement dans une pièce mal aérée et de ne pas uriner suffisamment régulièrement constitue un facteur de risque de cancer !

De fait, nous avons vu précédemment que les reins jouaient un rôle de filtre pour l'ensemble de l'organisme. L'urine ne contient donc pas que des déchets issus de la digestion comme beaucoup le croient, elle est aussi chargée d'évacuer les composés dangereux pour l'organisme. Ceci a été prouvé à de nombreuses reprises, notamment dans le cadre des études sur l'impact du tabagisme. Ainsi, des dosages effectués sur les urines d'un fumeur ou d'une personne exposée à un tabagisme passif révèlent de façon quasi systématique la présence de substances cancérigènes issues du tabac. Le cancer de la vessie figure d'ailleurs parmi les cancers les plus fréquents chez les fumeurs après le cancer du poumon. Il n'y a donc rien d'étonnant à ce que l'inhalation de fumées de cuisson induise elle aussi un danger accru face au cancer.

Petit déjeuner de roi, déjeuner de prince, dîner de mendiant

Les chercheurs italiens ont cherché à en savoir davantage sur les liens entre la composition des repas et la présence d'éléments cancérigènes dans les urines. Ils ont prouvé que des menus très riches en protéines cuites à haute température dans la friture augmentaient la concentration urinaire des produits cancérigènes, en particulier des amines aromatiques hétérocycliques, les HAA, dont le pouvoir mutagène est connu. Comme ils se retrouvent aussi en quantité importante dans la viande carbonisée, je recommande d'enlever systématiquement les parties noircies. Ils sont également présents dans les fumées qui se dégagent lorsqu'on cuit de la viande dans une poêle à forte température, d'où l'intérêt d'utiliser une hotte aspirante ou de bien aérer la pièce.

Un autre élément déterminant dans l'étude des scientifiques italiens concerne l'heure de la prise des repas. Un petit déjeuner très riche ne pose pas véritablement problème car les déchets nocifs qu'il va engendrer seront évacués rapidement, dès que l'envie d'uriner se fera sentir. Pour le déjeuner, et surtout le dîner, les choses s'avèrent différentes car la durée de la digestion puis de la filtration des composés nocifs demande du temps. Ceux-ci vont donc se retrouver dans les urines pendant la nuit, or on sait que de nombreuses personnes ne se réveillent pas durant leur sommeil pour aller aux toilettes et ne le font que le matin, au réveil. Dès lors, les produits cancérigènes restent en contact avec la muqueuse vésicale des heures durant, avec les risques que cela comporte. Les auteurs de l'étude conseillent donc d'éviter de consommer des repas riches en viandes rouges très grillées juste avant de se coucher, ce type de plat engendrant de nombreux produits de dégradation cancérigènes auxquels la vessie va être inutilement exposée.

D'une manière générale, ces découvertes soulignent l'importance de ne pas se retenir d'uriner. Toutefois, cela ne suffit pas : encore faut-il savoir uriner correctement afin d'empêcher le stockage involontaire de résidus nocifs.

Tout vient à point à qui sait attendre

Pour comprendre l'intérêt de bien vider sa vessie lors de chaque miction, il suffit d'observer un ruisseau : à chaque endroit où l'eau stagne, elle devient généralement trouble car les particules qu'elle contient se déposent et ne sont pas évacuées par le courant. Le même principe s'applique à la vessie : si elle n'est pas vidangée correctement à chaque miction, des bactéries, des germes ou d'autres composés nocifs risquent de s'y accumuler et de provoquer une infection urinaire. Ce postulat a été démontré par l'équipe du professeur Twaij en Grande-Bretagne à l'occasion de travaux portant sur les facteurs de risque d'infection urinaire chez l'enfant. Ceux-ci ne prennent pas toujours le temps d'attendre la venue d'un éventuel deuxième jet résiduel, ce qui les expose davantage au risque d'infection. La configuration des toilettes constitue parfois un élément aggravant : celles dites à la turque représentent un non-sens physiologique, particulièrement chez les femmes et les fillettes. En effet la position très inconfortable qu'elles imposent se traduit souvent par une vidange incomplète de la vessie, surtout pour les plus jeunes. Malheureusement, de nombreux établissements scolaires et cafés-restaurants sont encore équipés de ce type d'installations. Je considère qu'il serait nécessaire de les proscrire.

Quoi qu'il en soit, gardez à l'esprit l'importance d'une miction complète dans le cadre de la prévention des infections urinaires. Un élément supplémentaire y contribue aussi, tout en se montrant bénéfique sur l'état de santé général : le fait de s'hydrater régulièrement.

Boire beaucoup et souvent

La nécessité de boire suffisamment a été démontrée par de très nombreux travaux scientifiques. L'équipe du professeur Altieri en Italie a, par exemple, étudié les liens entre la consommation d'eau quotidienne et la prévention des cancers de la vessie. Les résultats ont permis de prouver que chez un sujet buvant abondamment – de l'eau bien entendu ! –, les produits toxiques contenus dans l'urine sont moins nocifs parce que beaucoup plus dilués et plus rapidement éliminés. Plus on boit, plus l'envie d'uriner survient régulièrement, ce qui diminue d'autant le temps de contact des substances dangereuses avec la muqueuse vésicale. Cela vaut aussi bien pour les amines aromatiques que pour les produits de dégradation cancérigènes issus de la fumée de cigarette. Une analyse statistique effectuée par l'équipe du professeur Altieri sur les populations atteintes de cancers de l'arbre urinaire a encore confirmé ce constat : les victimes consommaient globalement moins de liquide que la moyenne.

D'autres recherches ont permis d'affiner la cotation statistique des risques de cancers vésicaux en cas d'hydratation quotidienne insuffisante, notamment une étude menée aux États-Unis sur 47 909 participants pendant dix ans. Elle a abouti à la conclusion que l'absorption de 1 440 ml d'eau chaque jour (l'équivalent d'une grande bouteille d'eau minérale) réduisait de 51 % le danger d'apparition d'un cancer de la vessie par rapport à une consommation limitée à 240 ml. En modélisant les données statistiques recueillies, les scientifiques ont estimé que chaque augmentation de 240 ml d'eau bue par jour diminuait de 7 % le risque de cancer de la vessie.

Ces éléments sont également confirmés par l'analyse particulièrement intéressante du professeur Gérard Friedlander :

« Le tabagisme, qu'il soit actif ou passif, aboutit à l'inhalation et à l'ingestion de substances toxiques, éventuellement cancérigènes. Certaines de ces substances sont transformées par le poumon et le foie en composés extrêmement réactifs capables d'interagir avec l'ADN et de provoquer ainsi des mutations. Ces mutations sont la base moléculaire de la cancérogenèse.

« Après avoir circulé dans le sang, la majorité de ces substances sont éliminées dans l'urine. On comprend aisément que la concentration de ces substances toxiques dans l'urine dépend du débit urinaire, c'est-à-dire de la quantité d'urine émise chaque jour et donc de la quantité d'eau que l'on boit. Plus le volume des boissons est important, plus le débit d'urine sera élevé et plus la concentration de substances toxiques qui y sont contenues sera faible. Avant d'être émises à chaque miction, les urines stagnent dans la vessie. C'est là que les substances très réactives provenant de la fumée du tabac peuvent interagir avec les cellules de la paroi vésicale et en particulier avec leur ADN pour former ce que l'on appelle des adduits à l'ADN. Ces adduits constituent une modification chimique de l'ADN qui prélude à la survenue de mutations et donc possiblement à une cancérogenèse.

« Il est tout à fait envisageable de détecter ces adduits à l'ADN dans l'urine. En effet, de manière physiologique, des cellules vésicales desquament dans l'urine. En concentrant les cellules ainsi recueillies, la détection des adduits par des méthodes chimiques très sensibles (spectrométrie de masse) permettrait de mettre en évidence de manière non invasive des stades très précoces de transformation cellulaire.

« Boire abondamment et avoir des mictions fréquentes diminue donc à la fois le temps de contact entre les urines et la paroi de la vessie et la concentration de substances toxiques dans l'urine. C'est donc un moyen efficace de diminuer la toxicité vésicale de certaines substances éventuellement cancérigènes. »

Le professeur Claude Jasmin, cancérologue, confirme de son côté : « On évacue tous les jours dans l'urine des substances cancérigènes. Toute rétention prolongée peut constituer un facteur de risque de cancer de la vessie. »

En un mot comme en cent, boire au moins un litre et demi d'eau quotidiennement ne présentant que des avantages, il n'y a aucune raison de s'en priver ! Notamment parce que cela fait aussi baisser les concentrations en bactéries et en cristaux générateurs de futurs calculs. Si l'on boit peu, les urines sont foncées (concentrées). Si l'on boit beaucoup, elles sont claires, et c'est un signe de dilution salutaire des toxines et des microbes[1]. Reste néanmoins à connaître quelques conseils pratiques pour empêcher les infections de s'installer, notamment chez les femmes.

Quelques précautions, beaucoup d'avantages

De fait, les femmes sont plus sujettes aux cystites que les hommes. Pourquoi ? Tout simplement pour une raison anatomique : l'urètre des femmes est plus court que celui des hommes. La distance entre le milieu extérieur et la vessie étant plus courte, les germes peuvent remonter beaucoup plus facilement vers la vessie. Heureusement, quelques gestes simples suffisent à limiter grandement les risques.

Le premier réflexe à adopter consiste à uriner juste après les rapports sexuels, afin d'évacuer les bactéries éventuellement présentes dans l'urètre avant qu'elles ne gagnent la vessie. Qui plus est, l'irritation d'une muqueuse la rend plus vulnérable aux infections, d'où l'intérêt de demander à son partenaire d'utiliser des préservatifs lubrifiés – moins irritants pour les parois vaginales –, et d'appliquer un gel lubrifiant si les sécrétions sont insuffisantes.

---

1. Les médecins au moyen âge étaient d'ailleurs appelés « mireurs », car ils regardaient les urines à la lumière. Si elles étaient troubles, cela était dû aux protéines qui ne doivent pas passer le filtre rénal ou aux globules rouges. Ils goûtaient aussi, d'où le nom de diabète sucré et diabète insipide.

Au quotidien, il est déconseillé d'utiliser des déodorants en spray dans la zone génitale car ils génèrent des irritations de l'urètre. En matière de toilette, je recommande de laver quotidiennement la peau autour de l'anus et du vagin en évitant les savons trop agressifs et de frotter trop vigoureusement. En revanche, n'utilisez en aucun cas des produits à base de savon à l'intérieur du vagin. Cela risque de rompre l'équilibre de la flore vaginale et de créer un terrain propice au développement d'infections (bactéries ou mycoses). Les femmes sujettes aux infections urinaires ont aussi intérêt à préférer la douche aux bains. Sachez également que la pose d'un diaphragme constitue un facteur de risque d'infection urinaire. Enfin, aux W.-C., il est important de s'essuyer de l'avant vers l'arrière pour empêcher que des germes passent de l'anus vers l'urètre.

Au final, bien uriner ne s'avère pas aussi simplissime qu'il y paraît et il est possible, par manque d'informations, de commettre des erreurs, anodines en apparence, mais lourdes de conséquences, allant des infections urinaires à répétition jusqu'à des cancers. Vous voilà désormais bien armés pour éviter les pièges et rester en pleine forme !

CHAPITRE 17

Éliminez... la sueur !

« Pour être heureux, le mariage exige un continuel échange de transpirations. »

Napoléon Bonaparte

Dans notre société, la lutte contre la sueur semble constituer une priorité en matière d'hygiène, comme en témoignent les centaines de déodorants commercialisés et l'arsenal publicitaire qui les accompagne. La sueur est devenue un véritable tabou, elle n'est pas admise socialement. Quelques gouttes de sueur qui couleraient du front d'un serveur d'une brasserie dans votre plat vous en dégoûteraient à coup sûr. De même, il est de bon ton qu'une personne en nage n'embrasse pas les gens qu'elle rencontre, comme elle s'y refuserait si elle était enrhumée. En bref, la sueur est quasiment proscrite aujourd'hui.

Dès lors, tous les moyens sont bons pour ne pas transpirer : produits cosmétiques, lingettes ou tissus « respirants » ne cessent de se multiplier dans le but d'éviter les odeurs désagréables, les auréoles sous les bras ou les gouttes dans le cou.

Cette tendance paraît durablement ancrée dans nos mœurs, et pourtant... De nombreuses études médicales nous incitent à reconsidérer sérieusement la question de la sueur.

Éliminer du sel et des toxines

La sueur est produite par les glandes sudoripares présentes en très grand nombre sur la paume et la plante des pieds ainsi que sur le front (on en compte près de 4 millions au total). On les retrouve sur toutes les parties du corps, à l'exception de quelques zones : le bord des lèvres, les mamelons et certaines zones des organes génitaux externes. Elles sont capables de produire entre 1 et 12 litres de sueur par jour selon les personnes et le niveau d'activité.

Leur fonction est essentielle pour l'organisme : en effet, outre de l'eau, la sueur qu'elles secrètent contient des ions sodium et chlorure. Autrement dit, en transpirant, le corps évacue aussi du sel, ce qui s'avère déterminant pour son équilibre. Autre composant de la sueur : l'acide lactique, produit notamment lors des efforts musculaires, qui provoque fatigue et courbatures s'il est présent en trop grande quantité dans l'organisme. La transpiration permet de l'évacuer en partie, ce qui contribue à limiter ses effets indésirables. D'autres acides sont également décelables en très faibles quantités comme les acides propionique, acétique, urique et butyrique. Là encore, la sueur contribue à éviter leur accumulation dans l'organisme.

Mais son rôle ne s'arrête pas là. Les glandes sudoripares dites eccrines (par opposition aux apocrines, qui ne se manifestent qu'à partir de la puberté) ont en effet pour mission de réguler la température de notre corps. Sans elles, les variations de climat ou le simple fait de passer d'une pièce fraîche à un endroit bien chauffé nous seraient bien plus difficiles à supporter. Pour éliminer la chaleur, la sueur doit cependant être évaporée et non ruisseler, et ce grâce à des vêtements aérés.

Un indicateur précieux

Signalons également une autre utilité de la sueur, pour le moins inattendue : au cours des nombreuses études effectuées afin de rechercher tous les éléments qu'elle contient, des patchs spéciaux ont été mis au point. Ils comportent une membrane absorbante qui permet de pratiquer des analyses biologiques en laboratoires particulièrement précises. De nombreux produits ont ainsi été détectés dans la sueur, comme des xénobiotiques chez certains sujets. Il s'agit de substances chimiques qui ne sont pas normalement dans l'organisme et peuvent s'avérer toxiques. Leur présence dans la sueur permet de les détecter via les patchs et de déterminer si un sujet a été exposé à des produits dangereux et dans quelles proportions.

Les patchs aident aussi à repérer les traces éventuelles de drogue. Ils pourraient ainsi constituer un test de détection apte à donner des sueurs froides aux toxicomanes, mais néanmoins intéressant pour eux car non invasif, à la différence des habituelles prises de sang.

Autre élément étonnant : nos odeurs corporelles permettent à elles seules d'obtenir des informations sur notre état de santé, sans recourir aux patchs. De fait, l'ingestion d'aliments particuliers, de médicaments ou la présence de certaines maladies provoquent l'émission d'odeurs spécifiques. Les gens qui boivent beaucoup d'alcool dégagent par exemple un parfum caractéristique lorsqu'ils font du sport à cause de l'élimination sudorale des toxines. En médecine, avant l'invention des moyens diagnostiques modernes (IRM, scanners, échographies, etc.), les praticiens utilisaient d'ailleurs leur odorat pour tenter d'étayer leur jugement, tant nombre de pathologies se traduisent par une senteur caractéristique. Les vulvo-vaginites à gardnerella donnent une odeur de poisson (tout comme l'insuffisance hépatique), celles à trichomo-nas évoquent le plâtre frais, un intertrigo à candida dégage un parfum aigrelet. Citons encore l'insuffisance rénale (odeur d'ammoniac), la brucellose (paille), la typhoïde (pain frais), la tuberculose (bière éventée)...

Une étude britannique récente a d'ailleurs montré que des chiens spécialement formés pouvaient détecter un cancer de la vessie simplement à partir de l'urine prove-nant de patients atteints par ce type de cancer. Lors du test, les animaux dressés devaient repérer l'échantillon positif parmi six autres échantillons négatifs et se cou-cher devant. 41 % des essais se sont révélés concluants.

En bref, la sueur s'avère utile à bien des aspects. Dès lors, on peut s'interroger sur les promesses avancées par les produits antitranspirants : s'ils empêchent ou ralentis-sent réellement le processus de sudation, qu'en est-il des fonctions biologiques assurées par celui-ci ? Les fabri-cants de cosmétiques se montrent généralement discrets sur la question... mais pas les chercheurs, qui ont lancé différentes études sur le sujet.

Les déodorants sont-ils dangereux pour la santé ?

Rappelons que la sueur est en elle-même inodore et que ce sont les bactéries et les levures participant à la dégradation enzymatique qui lui confèrent son parfum désagréable. Pour éviter les mauvaises odeurs, il suffirait de s'essuyer. Or ce n'est guère évident au quotidien ! Le recours aux déodorants est donc très fréquent aujourd'hui, afin d'éviter les traces et les senteurs de transpiration. Étant donné la généralisation de ces produits, il était normal que l'on évalue objectivement leur possible dangerosité. Ce faisant, des chercheurs ont suspecté l'existence de liens entre l'usage de certains déodorants et la survenue de cancer du sein. Une hypothèse particulièrement inquiétante, qui mérite qu'on s'y attarde. Elle est issue des travaux du docteur Kris McGrath et de son équipe. Ils ont mis en évidence la possibilité d'un risque accru de cancer du sein lorsqu'un déodorant est appliqué immédiatement après l'épilation ou le rasage des aisselles. Les travaux précisent bien que le facteur de risque n'est pas en relation avec le déodorant seul ou l'épilation seule, mais découle de l'addition des deux pratiques l'une après l'autre. Comment expliquer ce phénomène ? Les rasoirs et les bandes dépilatoires provoqueraient de petites lésions dermatologiques favorisant le passage dans le sang de certaines substances toxiques présentes dans la composition des déodorants. Une nuance de taille vient modérer ce constat : l'étude a porté sur 437 patientes atteintes d'un cancer du sein mais nous ne disposons pas de chiffres établis sur une population en bonne santé. Reste qu'une autre étude, menée par le professeur Darbre, a révélé la présence dans vingt tumeurs du sein de fortes concentrations en parabènes, des conservateurs utilisés notamment dans les déodorants. En attendant d'autres recherches, il semble sage d'appliquer le principe de précaution et d'éviter autant que possible d'appliquer un déodorant immédiatement après une épilation ou un rasage des aisselles. Signalons aussi qu'il existe quelques produits vendus dans le commerce agissant uniquement sur les odeurs de transpiration. À base d'alcool, ils agissent comme de simples parfums. Ils contiennent parfois de la glycérine qui exerce un effet adoucissant sur la peau.

Une pratique à bannir

L'évocation de la sueur me fournit l'occasion de dénoncer une pratique à la fois inefficace et dangereuse. Certains fabricants de produits prétendument amaigrissants utilisent la transpiration comme un argument marketing. Ils vous promettent de nombreux kilos en moins en vous faisant suer sang et eau à grands coups de gels spécifiques et de films plastiques destinés à augmentation la sudation, notamment au niveau du ventre. Autant le dire sans détour : cette idée est tout simplement absurde. En effet, s'emballer dans un plastique trouble la régulation de la température corporelle tout en empêchant l'évaporation de la sueur produite pendant l'effort. Les risques de déshydratation augmentent, surtout en période estivale.

De plus, le « microclimat » provoqué par le film plastique (ainsi que certains vêtements en synthétique) empêche non seulement une bonne sudation physiologique mais crée des conditions propices au développement des bactéries et champignons. Un milieu chaud, humide et non aéré représente une sorte d'Éden pour les irritations, rougeurs et autres mycoses, lesquelles s'empresseront de proliférer.

Comme un bonheur n'arrive jamais seul, la transpiration ne s'opère pas de façon efficace dans ce contexte : l'acide lactique n'est pas correctement éliminé, ce qui provoque l'apparition de courbatures précoces. Pour couronner le tout, la perte de masse graisseuse n'est pas non plus facilitée par cette méthode, qu'il faut donc oublier au plus vite ! D'autant que la déshydratation déclenche la soif qui rétablit le poids.

D'une manière plus générale, il ne faut jamais perdre de vue que la sueur est un mécanisme d'élimination de la chaleur indispensable à une bonne régulation de la température corporelle. D'où l'intérêt, en cas de température excessive, de porter des vêtements adaptés laissant la sueur s'évaporer, voire de se déshabiller partiellement si nécessaire. Ceci est particulièrement important chez les personnes âgées et les nourrissons qui risquent un coup de chaleur.

La sueur n'est en tout cas absolument pas faite pour contribuer à l'amaigrissement. En revanche, elle peut vous aider à séduire, peut-être même plus efficacement qu'un régime...

La sueur, philtre d'amour ?

Et si la sueur intervenait comme un vecteur de communication chimique, une sorte de messager entre hommes et femmes ? Et si, sans le savoir, nous nous privions à coups de déodorant d'un stimulus autant bénéfique pour celui qui l'émet que celui qui le reçoit ? Aussi étonnant que cela puisse paraître, une équipe de chercheurs italiens a démontré que la sueur constituait un aphrodisiaque puissant, avec une dominance de la sueur masculine sur la sueur féminine. Ils ont isolé le principe actif à l'origine de cet effet aphrodisiaque : l'alfa-androstérol. D'autres études, menées par les équipes de l'université de Stratford en Grande-Bretagne, ont confirmé le pouvoir d'attraction de l'alfa-androstérol à l'aide d'une expérience simple. En pulvérisant ce produit sur deux rangées de fauteuils de cinéma vides, les scientifiques ont constaté que les femmes entrant dans la salle choisissaient de préférence les sièges ainsi « parfumés » !

Dans une autre approche, les chercheurs ont pulvérisé de la progestérone sur une candidate lors d'un concours de beauté et les jurés l'ont choisie, illustrant là encore le rôle de l'odeur corporelle dans l'attractivité envers autrui.

De fait, les liens entre sexualité et odorat sont bien connus. Napoléon l'avait compris instinctivement, lui qui, en campagne à l'autre bout du monde, écrivait à Joséphine : « Surtout ne te lave pas, j'arrive. » Avant lui, sous le règne d'Élisabeth Ire d'Angleterre au XVIe siècle, les amants échangeaient des pommes d'amour. Il s'agissait non de la sucrerie des foires de notre enfance mais de conserver un fruit sous l'aisselle afin qu'il s'imprègne de l'odeur intime et devienne un message secret excitant, constituant une véritable promesse de plaisir.

Il est difficile d'imaginer un tel cadeau aujourd'hui, mais les chercheurs se sont néanmoins intéressés à l'impact de l'odorat sur la sexualité. Des expériences menées sur des rats ont montré que l'ablation du lobe olfactif provoquait l'involution des organes génitaux et inversement : s'il y a castration, le lobe olfactif régresse considérablement. Chez l'homme, de tels liens existent également, comme dans la maladie rare de Karman et Morsier. Les enfants qui en souffrent naissent avec des organes génitaux atrophiés et un lobe olfactif considérablement diminué.

Du fait de ce rapport entre sexualité et odorat, on a pu établir que certaines odeurs fonctionnaient comme un véritable stimulus sexuel. On songe bien sûr aux créations des grands parfumeurs, mais la science a effectué des constatations bien plus étonnantes. Ainsi, il a été établi que la sueur masculine produit un effet relaxant sur les femmes. Mais ce n'est pas tout : elle peut également modifier leur cycle menstruel.

Pour faire des enfants, transpirez...

C'est l'équipe du professeur Georges Preti, de l'université de Philadelphie, qui a révélé les propriétés insoupçonnées de la sueur d'aisselle de l'homme, à l'issue d'expérimentations conduites de façon rigoureuse. Bien évidemment, il n'a pas été demandé aux femmes volontaires de renifler l'aisselle de messieurs de passage puis de décrire comment elles se sentaient... La méthodologie choisie a été la suivante : pendant six heures, un groupe de femmes âgées de vingt et un à quarante-cinq ans a été en contact olfactif (par application sur la lèvre supérieure) avec des phéromones extraites de sueur issue de six donneurs différents, tous en bonne santé et qui n'avaient utilisé aucun déodorant les quatre semaines précédant l'expérience.

L'odeur de leur sueur était masquée par un parfum neutre afin de ne pas influencer les participantes et d'analyser uniquement le principe actif des phéromones. Les femmes volontaires présentaient toutes des cycles réguliers et normaux. Elles ne suivaient pas de traitement médicamenteux susceptible de perturber les tests pratiqués. Enfin, leur olfaction avait été vérifiée et s'avérait normale.

Des prélèvements sanguins ont été effectués avant et après l'exposition aux phéromones afin de doser certains taux hormonaux, en particulier les hormones LH dont le taux est déterminant pour la durée et le déclenchement des cycles menstruels. Les résultats de ce protocole s'avèrent clairs : un taux d'hormones LH très fortement augmenté chez les participantes, changeant la durée des cycles menstruels. La sueur masculine est donc intervenue comme un véritable signal pour déclencher une montée en puissance hormonale.

Par ailleurs, les tests psychologiques mesurant le niveau d'anxiété des participantes à l'issue des expérimentations ont montré une très nette diminution du stress et l'apparition d'un sentiment profond de relaxation.

Le docteur Charles Wysocki, qui a également participé à cette étude, estime que les résultats obtenus incitent à considérer l'effet relaxant de la sueur comme favorable à la reproduction, une femme détendue étant plus réceptive à son partenaire...

Tout est cependant une affaire d'habitude, car celle-ci peut complètement modifier notre échelle de perception du plaisir. C'est ce qu'ont prouvé des chercheurs en s'intéressant à un des composants de la sueur, l'androstadienone, classiquement classé dans les phéromones. Leur première constatation a été de remarquer qu'il existe de grandes différences individuelles au niveau du seuil de détection d'une odeur. Mais ils ont surtout noté qu'une exposition répétée changeait la donne. Ainsi, une odeur perçue au début comme agréable était jugée à la longue putride. Ce qui avait pu exciter le partenaire devenait progressivement repoussant. L'explication physiologique de ce constat repose sur la présence de deux types de récepteurs à l'androstadienone dans le corps humain : ceux à basse affinité (sensibles aux bonnes odeurs) et ceux à haute affinité (sensibles aux mauvaises odeurs). L'exposition répétée à l'androstadienone provoque une augmentation de l'expression des récepteurs à haute affinité au détriment des autres. À trop sentir son partenaire, on risque donc de ne plus pouvoir le sentir du tout...

Qui plus est, la sueur est aussi une affaire de goût et de culture. Des études ont été menées sur des couples à l'aide de tee-shirts imprégnés d'odeurs de sueur de chaque partenaire. Globalement, parmi dix vêtements proposés, chacun reconnaît l'odeur de l'autre, quel que soit le pays d'origine. Mais les commentaires diffèrent ensuite selon les nations. Les femmes allemandes trouvent généralement l'odeur de leur mari agréable, à la différence des Italiennes et des Japonaises par exemple.

À travers ces résultats, c'est notre part animale qui revient au galop, illustrant en partie les mécanismes à l'œuvre dans la reproduction des hommes préhistoriques, avant que les phénomènes sociaux ne deviennent déterminants. Il faut noter que chez les animaux, les insectes par exemple, les phéromones agissent en quantité infinitésimales et attirent le partenaire à très grande distance. Aujourd'hui, cette part n'a pas totalement disparu : les vertus relaxantes de la sueur persistent, offrant aux femmes un produit simple pour diminuer l'anxiété, à condition d'en apprécier l'odeur... À vous de voir si vous souhaitez tenter l'expérience !

CHAPITRE 18

Éliminez... en éjaculant ou le secret du sperme

« Si ce sont les meilleurs qui partent les premiers, que penser alors des éjaculateurs précoces ? »

Pierre Desproges

Le thème du désir nous ramène à celui de la fertilité masculine évoquée au début de cet ouvrage. Nous avons vu qu'elle faisait l'objet de toutes les attentions des scientifiques. Mais ces derniers ne se sont pas arrêtés aux recherches sur la température testiculaire ou l'impact de la pollution. Ils ont également essayé de déterminer quelle incidence pouvait avoir le comportement sexuel sur la santé, au niveau des maladies sexuellement transmissibles bien sûr, mais pas seulement. Ils ont ainsi mis en évidence des liens assez surprenants, à commencer par la relation entre la fréquence des éjaculations et le risque de cancer.

Des éjaculations fréquentes diminuent le risque du cancer de la prostate !

Le cancer de la prostate constitue la deuxième cause de mortalité par cancer chez les hommes. Sa fréquence s'accroît fortement avec l'âge : 80 % des plus de quatre-vingts ans présentent des cellules cancéreuses dans la prostate. Certes, la vitesse de croissance des tumeurs est très variable d'un sujet à l'autre et toutes n'engendrent pas de complications. Mais il n'en reste pas moins que la montée en puissance de ce cancer a fait l'objet de nombreuses études médicales dans le monde afin de rechercher ses causes d'apparition. Si l'homme a plus de soixante-cinq ans, s'il existe des antécédents familiaux de cancer de la prostate, si le sujet est un gros consommateur de matières grasses animales, en particulier de la viande rouge, les risques sont augmentés. D'autres voies sont explorées actuellement, notamment le lien possible avec l'obésité, l'inactivité physique et l'exposition professionnelle à un métal : le cadmium. Malgré tout, dans de nombreux cas, la médecine ne parvient pas encore à identifier de façon précise les facteurs de risque expliquant cette maladie.

En revanche, les chercheurs ont découvert une piste sérieuse permettant de limiter l'exposition à cette menace. Une première étude scientifique de grande ampleur a été menée aux États-Unis sur 30 000 hommes pendant plus de huit ans. Elle a établi que les sujets qui éjaculaient (lors d'un rapport sexuel ou par la masturbation) plus souvent étaient significativement moins exposés à ce cancer. Étant donné sa fréquence importante chez l'homme à partir de soixante-cinq ans, cette constatation est très importante. D'autant qu'elle a été confirmée par d'autres recherches effectuées en juin 2003 en Australie. Lesquelles ont montré que le groupe de volontaires qui présentaient en moyenne 21 éjaculations par mois diminuait d'un tiers le risque de développer un cancer de la prostate par rapport à un groupe témoin ne comptant que 4 à 7 éjaculations mensuelles.

Parvenir à obtenir ces résultats de façon fiable n'a pas été facile. Au préalable, les participants volontaires ont dû exposer l'historique de leurs éjaculations et en particulier l'analyse des fréquences, qui évoluent bien sûr au fil du temps. Des hommes de tous âges ont participé, ce qui a permis de rendre les conclusions particulièrement pertinentes. L'analyse détaillée des résultats a établi que dans le groupe qui n'éjaculait que 4 à 7 fois par semaine, chaque augmentation de 3 éjaculations hebdomadaires se traduisait par une diminution de 15 % du risque d'apparition de ce cancer. Plus précisément, le bénéfice sur le plan statistique devient significatif à partir de 12 éjaculations par mois.

Les conclusions de ces deux études ont ceci de remarquable qu'habituellement la prévention des cancers passe par des mesures restrictives : arrêt du tabac pour ceux du poumon, de la gorge ou de la vessie, arrêt d'une consommation excessive d'alcool pour ceux de l'œsophage et du foie, arrêt de l'exposition prolongée au soleil pour prévenir les mélanomes, etc. Or, pour une fois, l'excès serait quasiment recommandé ! En tout cas, une activité sexuelle régulière induit des bénéfices incontestables sur le plan statistique. Les progrès de la médecine le permettent à tout âge ou presque grâce aux médicaments récents comme le Viagra®, le Lévitra® ou le Cialis®. Encore faut-il trouver la partenaire... Dans tous les cas, je recommande aux hommes de plus de soixante-cinq ans ou présentant des antécédents familiaux de troubles prostatiques d'évoquer le sujet avec leur médecin traitant qui, en fonction des données médicales, prendra les décisions thérapeutiques nécessaires.

Comment expliquer ce constat ?

Le lien entre la fréquence des éjaculations et la survenue de cancer de la prostate peut surprendre mais différentes hypothèses permettent de l'expliquer. Le professeur Giles a ainsi envisagé que l'augmentation de la fréquence d'éjaculation permette à la glande prostatique d'évacuer par la même occasion des carcinogènes et un substrat susceptible de favoriser le développement de ces derniers. En clair, éjaculer permet d'éliminer les éléments potentiellement cancérigènes qui s'accumulent au niveau de la prostate. Une autre théorie avance que le drainage des fluides prostatiques diminuerait la cristallisation de petites microcalcifications associées avec ce cancer. En bref, les éjaculations contribueraient en quelque sorte au « nettoyage » de la prostate. Plus elles sont fréquentes, moins la prostate est exposée à des éléments risquant d'engendrer un cancer. Le risque diminue donc de façon mathématique.

Ces résultats sont d'autant plus encourageants pour les hommes que les équipes de recherche avaient à l'origine posé le problème à l'envers. Leur hypothèse initiale reposait en effet sur l'idée que l'apparition du cancer de la prostate était potentiellement en relation avec des éjaculations fréquentes. Si cette piste s'était confirmée, la prévention aurait nécessité une diminution de l'activité sexuelle : on imagine sans peine la difficulté d'effectuer des campagnes d'information dans ce domaine et celle, encore plus grande, d'obtenir des résultats concrets. Heureusement, ce scénario a été infirmé par une autre étude, conduite par l'équipe du professeur Leitzmann. Publiée dans la revue *Jama*, en 2004, elle montra de façon formelle l'absence de lien entre l'émergence du cancer de la prostate et les rapports sexuels fréquents. Ceux-ci ont, au contraire, un effet préventif comme nous l'avons vu. Messieurs, vous savez ce qu'il vous reste à faire ! D'autant que les rapports sexuels présentent d'autres effets bénéfiques... parfois assez inattendus.

Le sperme rendrait les femmes plus heureuses !

Je ne peux ainsi m'empêcher de citer une étude américaine dévoilée en juin 2007. Qui tendrait à prouver que le sperme rend les femmes plus heureuses. Cette hypothèse est le fruit de recherches sérieuses ayant porté sur 300 femmes qui ont rempli des questionnaires précis concernant leur humeur lors des rapports. L'analyse des réponses montre que les femmes dont le partenaire n'utilise pas de préservatif seraient moins sujettes aux états dépressifs que celles qui ne sont pas en contact avec le sperme. Au-delà de ce potentiel effet antidépresseur, il y aurait même une corrélation entre le contact avec le sperme et une humeur joyeuse !

Ce constat a de quoi surprendre, mais il est possible de l'expliquer scientifiquement. Pour les auteurs, l'origine de cet effet positif sur l'humeur est hormonale : le sperme contient notamment de la testostérone qui, en passant à travers les parois vaginales, se retrouve ensuite dans le flux sanguin. L'équilibre hormonal est donc légèrement modifié, avec en l'occurrence des effets bénéfiques sur l'humeur. Les chercheurs souhaitent désormais étudier les effets des rapports anaux ou oraux afin d'affiner leurs premières constatations, car ils n'en sont encore qu'au stade de l'hypothèse. Or ce sujet en apparence léger n'a rien d'anodin, tant il pourrait avoir une incidence sur les comportements des couples vis-à-vis du préservatif. Je tiens à souligner que le port du préservatif doit absolument être maintenu dans le cadre de la prévention des maladies sexuellement transmissibles comme le sida ou dans un cadre contraceptif. Par ailleurs, un autre contexte impose parfois le recours au préservatif : certaines femmes présentent en effet une allergie au sperme.

Le bonheur des uns fait l'allergie des autres...

Cette allergie se manifeste le plus souvent chez les jeunes femmes, dans les premiers temps de la vie sexuelle. Elle se traduit généralement par une rougeur, un prurit et un gonflement de la zone vaginale au moment du rapport ou dans les minutes qui suivent. Ces symptômes risquent d'être confondus avec des infections vaginales comme des candidoses, ce qui rend l'allergie au sperme difficile à détecter. Toutefois, les réactions seront souvent plus marquées si les rapports sexuels se répètent, du fait des mécanismes immunologiques.

En cas de suspicion d'une telle allergie, le médecin traitant pratique des tests cutanés d'un genre un peu particulier : il va appliquer sur la peau un extrait de l'éjaculat du partenaire, sur le principe des prick-tests. Si la patiente est effectivement allergique, une réaction inflammatoire apparaîtra sur la zone étudiée, le bras par exemple. Une prise de sang complémentaire permet de préciser le diagnostic, par recherche des dosages d'IGE spécifiques ou d'augmentation d'éosinophiles sanguins (qui elle, n'est pas spécifique).

Un liquide qui garde ses secrets

Si l'on en sait un peu plus aujourd'hui sur le sperme, qu'il s'agisse de l'effet protecteur sur le cancer de la prostate, sur l'humeur des femmes ou la survenue d'allergie, ce liquide essentiel à la vie humaine comporte encore des mystères.

Nous connaissons cependant sa composition : des vitamines C et B12, des sels minéraux (zinc, potassium, phosphore, magnésium...), des sucres (fructose et sorbitol), des protéines, du sodium, du cholestérol, ainsi que des cellules de type lymphocytaire. Ces dernières expliquent la possibilité de transmission de maladies comme le virus HIV ou les hépatites B et C. Le contact buccal avec le sperme peut également présenter des risques de transmission de ces maladies, mais uniquement en cas de blessures ou d'ulcérations à l'intérieur de la bouche. En revanche, pour une femme, le fait d'avaler le sperme de son partenaire ne comporte aucun risque de masculinisation comme cela a pu être avancé.

Les recherches entreprises sur le sperme ont en tout cas permis d'ouvrir de nouvelles voies dans la lutte contre le cancer de la prostate. D'une certaine façon, le sperme ne fait donc pas que transmettre la vie, il est aussi capable de la protéger. Espérons donc que la recherche continue à progresser dans ce domaine afin de contribuer encore à l'amélioration de la prévention du cancer prostatique.

CHAPITRE 19

Bien se moucher pour bien... éliminer

« En matière sentimentale il ne faut jamais offrir ni conseils ni solutions... Seulement un mouchoir propre au moment opportun. »

Arturo Perez Reverte

S'il est bien une partie de notre corps à laquelle on pense rarement, c'est la muqueuse nasale. Pourtant, son rôle physiologique s'avère crucial puisqu'elle est chargée du réchauffement, de l'humidification et du filtrage de l'air que l'on inspire. Cela n'a rien d'une sinécure quand on songe aux écarts de température auxquels notre organisme est soumis, par exemple, lorsque nous quittons une maison bien chauffée en hiver, mais aussi quand on songe aux allergènes, aux poussières, aux virus et autres bactéries qui se trouvent dans l'environnement. Pour faire face à ces nombreux éléments, la muqueuse nasale doit faire l'objet de soins particuliers. Sans quoi, les perturbations comme des sécrétions nasales en excès ou de mauvaise qualité vont entraîner une stase risquant de faire évoluer un simple rhume en maladie plus grave. Heureusement, quelques précautions simples contribuent à limiter ce risque. Encore faut-il les connaître !

Bien se moucher pour bien éliminer

Le premier geste à acquérir est de bien se moucher. Les nourrissons constituent un cas à part car ils ne sont évidemment pas capables de se moucher seuls. Il existe pour cela des mouche-bébés permettant d'aspirer les sécrétions nasales. Leur usage n'est pas toujours aisé mais ils sont indispensables pour décongestionner l'appareil respiratoire des nouveau-nés.

Chez l'adulte, je conseille de moucher alternativement chaque narine en obstruant la fosse nasale opposée par un appui du pouce sur l'aile du nez. Ce geste doit être réalisé plusieurs fois de suite, mais surtout de façon douce car les hyperpressions risquent, dans les cas extrêmes, de causer des dommages au niveau des oreilles ou des sinus. L'usage de sérum physiologique ou de solutions salines à base d'eau de mer facilite le désencombrement. Ces produits (quand ils ne sont pas sous forme d'aérosol) s'injectent d'un côté puis de l'autre en maintenant la tête penchée en arrière, idéalement au-dessus d'un lavabo car il est difficile de réaliser cette opération sans renverser de liquide. Une fois le lavage terminé, il est plus aisé de se moucher correctement. En outre, cela contribue à éliminer un maximum de sécrétions, pour le plus grand bénéfice de l'hygiène nasale, et atténue le risque de voir un rhume s'éterniser ou évoluer vers une forme plus sévère. On pourrait d'ailleurs, en hiver, ajouter aux rituels quotidiens comme le brossage des dents un bon mouchage et lavage du nez. Un moyen complémentaire se montre aussi efficace : le fait de renifler.

Pour une réhabilitation du reniflement

Le reniflement n'est pas d'une grande élégance, c'est certain. Du manuel de savoir-vivre aux principes d'éducation inculqués par les parents à leur progéniture, tout le monde s'accorde à le proscrire. Mais n'en déplaise aux tenants des bonnes manières, renifler peut se révéler tout à fait utile en parallèle du mouchage, surtout en cas d'hypersécrétion. Si celui-ci provoque une pression dans les fosses nasales favorisant la remontée de mucus vers les trompes d'eustache – de petits conduits de 3 cm de long reliant l'oreille moyenne et le rhino-pharynx –, renifler entraîne au contraire une dépression chassant ce mucus.

De plus, au cours du reniflement, le sujet fait vibrer le voile de son palais et mobilise ainsi les sécrétions pharyngées postérieures, ce qui rend leur évacuation plus aisée. Selon le niveau auquel on les perçoit (partie moyenne ou antérieure des fosses nasales), il faut renifler en conservant la bouche en position fermée, semi-ouverte ou ouverte. Là encore, il importe d'agir en douceur afin d'empêcher tout phénomène d'hyperpression. Une fois les sécrétions mobilisées, il est possible de les déglutir, ce qui n'a généralement rien d'agréable. Il s'avère donc préférable de les cracher dans un mouchoir jetable ou un lavabo.

Bien maîtrisé, le reniflement contribue à une parfaite désobstruction nasale, évitant ainsi une stase microbienne inutile : un atout intéressant notamment en cas de rhume. Cette affection extrêmement courante profite en effet de nos moindres erreurs d'hygiène pour s'imposer. Voyons donc quelques astuces pour limiter ses risques d'apparition.

Tout savoir sur le rhume

Le rhume est généralement le fait de virus appelés rhinovirus dont il existe plus de cent sérotypes connus, d'où la difficulté de mettre au point un vaccin. Ceux-ci se développent majoritairement dans le nez et la transmission s'effectue par contagion, sachant qu'un sujet atteint est susceptible de contaminer son entourage pendant environ cinq jours, la période la plus contagieuse se situant entre le troisième et le cinquième jour.

Des études réalisées sur des couples ont permis de mieux comprendre le processus de transmission. Parmi les facteurs identifiés, citons la présence de virus sur les mains des sujets (d'où la nécessité, une fois encore, de bien les laver...) et le temps passé ensemble à la maison : au-delà de 122 heures par semaine, la transmission virale est nettement favorisée. D'autres travaux ont révélé une plus grande vulnérabilité aux rhumes chez les sujets stressés et introvertis.

Un rhume guérit en règle générale spontanément en une semaine et ne nécessite pas de traitement antibiotique, sauf s'il se complique d'otite ou de sinusite ce qui reste rare. Redisons-le, bien se moucher et savoir renifler contribuent à atténuer les risques d'aggravation. La toux passagère aussi car elle permet aux voies respiratoires, par un mécanisme réflexe de défense, d'expulser les sécrétions indésirables. L'emploi de médicaments antitussifs ne doit d'ailleurs se faire que sur le conseil du médecin traitant lorsque la toux est difficile à contrôler et particulièrement gênante. Sinon, on risque d'empêcher la bonne élimination des sécrétions et de voir le rhume durer.

Enfin, il est important de distinguer les rhumes des rhinites allergiques qui ne sont pas des phénomènes infectieux et nécessitent une prise en charge spécifique. Si vous êtes atteints chaque année à la même période de symptômes s'apparentant à un rhume mais s'étendant sur

une durée plus importante, il est possible que vous souf-
friez d'allergie, notamment aux pollens. N'hésitez pas à
en faire part à votre praticien qui vous conseillera un
traitement adapté.

Concluons sur deux recommandations supplémentaires. Premièrement, évitez de séjourner dans des atmosphères trop sèches car elles tarissent le mucus des fosses
nasales et les rendent plus vulnérables aux affections.
Deuxièmement, pourquoi ne pas adopter le réflexe
simple consistant à se moucher chaque matin ? Bien
dégager ses fosses nasales en se mouchant et en reniflant
si nécessaire au calme dans sa salle de bains, sans aucun
regard réprobateur avoisinant, permet d'évacuer les
sécrétions accumulées pendant la nuit. Outre le fait que
celles-ci ne feraient que perturber la respiration, elles
contiennent nombre d'éléments issus de l'environnement
(polluants, bactéries, etc.) qu'il n'est pas idéal de conserver. Autant les éliminer et commencer la journée en res-
pirant mieux. Bien respirer est d'ailleurs un autre facteur
de bonne santé qui mérite qu'on s'y intéresse de plus
près...

CHAPITRE 20

Bien respirer pour mieux... éliminer

« En te levant le matin, rappelle-toi
combien précieux est le privilège de vivre,
de respirer, d'être heureux. »

Marc Aurèle

Depuis le début de cet ouvrage, nous avons vu à plusieurs reprises que les gestes du quotidien les plus évidents révélaient parfois des surprises insoupçonnées nécessitant la modification de nos habitudes. Le fait de respirer, naturel et inné chez tout être humain, n'y fait pas exception. La plupart d'entre nous respire mal sans le savoir, ce qui se ressent au niveau de l'état général de l'individu comme sur sa vulnérabilité aux maladies. Une expérience toute simple suffit à s'en convaincre.

Les poumons ne sont pas un fumoir...

Si vous fumez, vous pouvez tenter l'exercice vous-même. Sinon, demandez à un fumeur de votre entourage de se prêter au jeu. De quoi s'agit-il ? Tout simplement de constater, au moment de l'expiration instinctive de la fumée, qu'il est possible, au lieu de reprendre une nouvelle inspiration, de continuer à expirer en se forçant. Le résultat observé en vidant ainsi le maximum d'air est édifiant : de la fumée continue à sortir ! Or, habituellement, ce volume de fumée n'est pas expulsé et se voit donc refoulé vers les bronches à la bouffée suivante, augmentant ainsi l'effet toxique du tabac. Les zones reculées des poumons des fumeurs s'assimilent donc à des pièces saturées de fumée qui ne seraient jamais aérées.

Les non-fumeurs ne sont pas à l'abri de cette capacité de l'appareil pulmonaire à stocker l'air non expiré. La consommation d'alcool se traduit ainsi par la présence de vapeurs éthyliques dans les poumons. Lesquelles risquent de stagner si le sujet expire mal. C'est d'ailleurs pour cette raison que les forces de l'ordre demandent aux automobilistes de souffler fort et profondément dans l'éthylotest lors des contrôles d'alcoolémie : le résultat obtenu s'avère plus significatif de l'alcoolémie réelle.

Fumée de cigarette et alcool n'ont pas le monopole de l'occupation des poumons. Tous les composés nocifs présents dans l'air ambiant risquent de s'y agglutiner : polluants, poussières, fumées de cuisson, gaz d'échappement, etc. Respirer de façon incomplète favorise donc leur accumulation et pose de nombreux autres problèmes.

Vent de panique ?

Une mauvaise maîtrise de la respiration occasionne des troubles comme le syndrome d'hyperventilation, qui se caractérise par une respiration augmentée. Concrètement, l'organisme expire trop de gaz carbonique tandis que l'oxygène, lui, est aspiré en trop grande quantité. Cela crée un déséquilibre provoquant une alcalose respiratoire, autrement dit une modification du pH sanguin provoquant nombre de perturbations. Ce phénomène d'hyperventilation se produit dans différentes circonstances comme l'anxiété, le stress, une douleur violente, de la fièvre, une consommation excessive d'alcool, l'excès de certains médicaments ou tout simplement le fait de se trouver en altitude. Les symptômes ressentis varient, allant d'une certaine agitation à des vertiges, des tremblements voire une sensation de flottement. Citons encore des troubles de la concentration, de la fatigue, des crampes musculaires, une impression de perte de conscience ou des palpitations.

Il est fréquent que ces manifestations, généralement soudaines, déclenchent une crise de panique chez la personne qui en est victime. L'une des solutions possibles pour calmer cette crise est de la faire respirer dans un sac en papier. Ainsi, le taux de gaz carbonique au niveau pulmonaire remonte rapidement, ce qui peut contribuer à atténuer les symptômes. Mais attention, une telle technique doit être maniée avec une grande prudence et durant un espace de temps bref, car si la crise observée est assimilée à tort à une hyperventilation alors qu'il s'agit d'un épisode d'asthme, le recours à un sac en papier se révélerait dangereux. Cette technique ne doit donc être utilisée que si elle a déjà été recommandée par le médecin traitant lors de crises antérieures bien identifiées.

Qu'il s'agisse de se prémunir autant que possible contre ces ennuis, de lutter contre l'accumulation des polluants dans l'organisme ou simplement d'accéder à un bien-être nouveau, nous avons dès lors tout à gagner à apprendre comment bien respirer. Voici des conseils simples pour y parvenir.

Trouver un nouveau souffle

À la maison, ouvrir régulièrement les fenêtres afin de renouveler l'air intérieur est un facteur important de bonne santé. Si la pollution extérieure et urbaine est souvent mise en avant pour hésiter à le faire, celle existant au sein même des habitations ne doit pas être négligée. Une personne exposée tous les jours pendant des années aux mêmes agents chimiques, aux acariens et aux bactéries augmente en effet ses facteurs de risques de contracter bien des maladies. Le danger est encore majoré dans des maisons humides, excellents bouillons de culture pour la croissance des microbes. Bien aérer chaque pièce quotidiennement s'avère donc un geste clé, qu'il est possible d'appliquer également à son propre organisme.

Savoir bien respirer favorise le renouvellement de l'air dans les poumons, en évitant que trop de composés nocifs s'y accumulent. En outre, pratiquer une respiration abdominale calme, profonde et maîtrisée permet d'augmenter son niveau énergétique, ses performances physiques et intellectuelles et son bien-être. C'est même un excellent outil de régulation du stress, comme l'évoque très bien Thich Nath Hanh, moine bouddhiste auteur de nombreux ouvrages de méditation, quand il écrit : « Inspirant, je calme mon corps, expirant je souris, demeurant dans l'instant présent, je reconnais toute la merveille de cet instant. » Contrôler ses cycles d'inspiration et d'expiration apparaît en somme comme un moyen naturel d'atténuer son anxiété, sans recourir aux comprimés d'anxiolytiques dont les Français sont les plus gros consommateurs mondiaux.

Les bienfaits sur le plan physique sont quant à eux parfaitement illustrés par l'exemple des sportifs de compétition. Plus un athlète est entraîné, plus il va respirer lentement et profondément au cours des efforts, diminuant ainsi sa fréquence cardiaque. Le pouls au repos d'un adulte non sportif est d'environ 70 battements par minute, contre 50 pour un sportif de haut niveau. Des chiffres parlants !

Attention toutefois à l'interaction existant entre la parole et l'exercice physique. Si on discute pendant un jogging par exemple, on perturbe l'expiration et l'élimination du dioxyde de carbone. Il vaut mieux réserver les grandes conversations à d'autres moments. D'autant que bien respirer pendant l'effort contribue à moins s'essouffler et à mieux éliminer les toxines que l'on produit.

Bâiller pour être moins fatigué

Selon Oscar Wilde, « le talent le plus utile [dans la bonne société anglaise] est de savoir bâiller la bouche fermée ». De fait, bâiller en société, qu'on soit avec des proches ou des collègues, n'est pas très bien vu. On assimile souvent ce geste à une manifestation d'ennui, de lassitude ou de fatigue. Pourtant, cela n'a rien de négatif à la base. Bâiller provoque d'ailleurs une véritable sensation de détente et de décontraction. De fait, tous les êtres humains bâillent, et ce dès la vie intra-utérine. Les animaux le font également, ce qui constitue pour eux une forme de communication non verbale.

Dans l'Antiquité, Hippocrate pensait que bâiller permettait d'évacuer la fièvre comme une cheminée d'où sort la fumée, mais cette vision poétique ne correspondait à aucune réalité. Le bâillement constitue une action physiologique très simple : il se compose d'une première phase de longue inspiration, d'une apnée brève – pendant laquelle l'acuité auditive diminue du fait de l'ouverture des trompes d'Eustache – et d'une expiration rapide pouvant être associée ou non à des étirements ou à une petite stimulation des glandes lacrymales.

Les bâillements surviennent principalement dans des situations de la vie quotidienne comme voyager en transport en commun, conduire, attendre ou lorsque la pression du sommeil augmente, soit une heure avant l'endormissement en moyenne. Ils correspondent en fait aux premiers signes cérébraux d'endormissement.

Contrairement aux idées reçues, ce processus n'améliore que peu l'oxygénation cérébrale mais stimulerait la vigilance. En effet, des études ont montré l'existence d'un lien fonctionnel entre les articulations temporomandibulaires, le rachis cervical et une partie du tronc cérébral correspondant à une zone participant à l'éveil et au sommeil paradoxal. Le mouvement physique provoqué par le bâillement exerce donc une action sur des parties de l'organisme qui, par une sorte de réflexe, stimulent la vigilance. Concrètement, bâiller permet donc de lutter temporairement contre la sensation de fatigue.

Une autre idée reçue a en revanche toute sa raison d'être : les bâillements sont bel et bien « contagieux ». De nombreuses recherches ont établi ce phénomène, en particulier celles conduites par le psychologue Steven Platek à l'Université de Philadelphie : la projection d'un film montrant des sujets qui bâillent provoque une série de bâillements de la part des spectateurs – les plus sensibles étant ceux qui ont le plus grand degré d'empathie. D'autres travaux semblent montrer que l'effet contagieux du bâillement n'apparaît chez l'enfant qu'à partir de la sixième année, autrement dit une fois qu'il a acquis la capacité de réfléchir à ce que l'autre peut penser et qu'il s'avère capable d'attribuer des états mentaux à autrui. Enfin, certains chercheurs considèrent le bâillement comme une forme d'empathie instinctive, involontaire et rudimentaire. Ce processus est par nature inconscient et réflexe mais peut donc aussi être provoqué par imitation.

Il s'avère également utile de bâiller volontairement dans certains contextes, notamment lors de voyages aériens ou en montagne. Cela créé en effet une décompression rhino-pharyngée aboutissant à une reperméabilisation tubaire provoquant une sensation de débouchage des oreilles. Au plus fort du bâillement, l'ouverture de la trompe d'Eustache aère la caisse du tympan, ce qui explique cette sensation.

Un peu de vigilance s'impose néanmoins car il est réellement possible de bâiller à s'en décrocher la mâchoire ! Plus précisément, le bâillement constitue la cause la plus fréquente des luxations de la mâchoire traitées dans les services d'urgence. Il existe d'autres origines moins fréquentes comme le rire, les vomissements ou les soins dentaires. Il importe en tout cas de contrôler l'ouverture de la bouche en bâillant afin d'éviter un accident, surtout en cas d'antécédent de luxation. Pas de quoi s'angoisser pour autant, car le bâillement, par la sensation de relaxation qu'il procure, constitue un excellent moyen de réduction du stress et permet de diminuer en partie l'impression de fatigue. Il serait donc intéressant de le réhabiliter en le prenant pour ce qu'il est : un processus physiologique tout à fait naturel et bénéfique pour l'organisme. Bien respirer, c'est aussi réapprendre à bâiller lorsque c'est nécessaire.

L'exemple des animaux

Le monde animal fourmille d'exemples montrant l'importance de la respiration. Chez certaines espèces, l'adaptation respiratoire est essentielle à l'approche de l'hiver, comme pour la marmotte. Au moment de l'hibernation, celle-ci va mettre son organisme dans un processus d'économie maximale afin de supporter plusieurs mois sans nourriture. Si en période estivale son cœur bat entre 90 et 140 fois par minute, il tombe à 5 battements par minute durant l'hibernation. La température corporelle chute également, tandis que la fréquence respiratoire descend quant à elle de 16 à 2 cycles par minute !

De leur côté, les animaux dont l'espérance de vie est très longue, comme les tortues géantes qui atteignent cent cinquante ans, les crocodiles quatre-vingt-quinze ans ou les éléphants soixante-dix ans, se caractérisent par un cycle respiratoire et des déplacements lents. À l'inverse, des espèces comme le chien, le chat et bien d'autres, à la fréquence respiratoire et aux déplacements beaucoup plus rapides, pâtissent d'une durée de vie plus brève.

Bien sûr, d'autres paramètres entrent en ligne de compte et il serait très excessif d'affirmer que pour vivre plus longtemps, il suffit de respirer plus lentement ! Il n'en reste pas moins que l'exemple de la faune montre l'intérêt d'une respiration calme et maîtrisée. C'est d'autant plus vrai pour nous, êtres humains, que nous disposons d'un avantage capital sur nos amies les bêtes : nous sommes capables d'aller au-delà de la respiration innée et d'acquérir des techniques nouvelles pour gagner en bien-être.

On se détend...

Il existe de nombreux exercices aidant à bien percevoir sa propre respiration.

L'un d'entre eux donne de bons résultats tout en restant très simple et à la portée de tous. Il suffit de s'allonger sur le dos confortablement et de poser une main à plat sur son thorax, l'autre sur l'abdomen. Ensuite, veillez à maintenir la bouche close et inspirez par les narines, sans gonfler le ventre ni monter les épaules. Dans un deuxième temps, expirez lentement et profondément par la bouche en rentrant progressivement le ventre et en essayant de vider l'air contenu dans vos poumons – sans trop forcer non plus !

En pratiquant cet exercice plusieurs fois de suite chaque jour, vous ressentirez peu à peu une sensation de bien-être et d'apaisement. Sachez toutefois que ces exercices de respiration créent parfois de petites sensations d'étourdissements. Rassurez-vous, elles sont sans gravité et disparaissent rapidement. Avec un peu d'expérience, elles ne se manifesteront plus et vous pourrez progresser dans la maîtrise de votre respiration. Une aptitude qui vous aidera lors d'efforts physiques, mais aussi durant les épisodes de stress ou d'anxiété.

Pour conclure, voici donc à nouveau un domaine évident en apparence mais qui constitue en vérité une nouvelle piste à explorer afin d'acquérir un meilleur bien-être. Et de bénéficier d'une prévention optimale des maladies. Avec, en plus, l'avantage de méthodes particulièrement faciles à mettre en œuvre.

Alors n'attendez plus : res-pi-rez !

CHAPITRE 21

Éliminez... à chaudes larmes

*« On finirait par devenir fou, ou par mourir,
si on ne pouvait pas pleurer. »*

Guy de Maupassant

Pour clore cette partie, je souhaite aborder un mécanisme d'élimination un peu particulier, puisqu'il s'exerce à la fois sur le plan physiologique et au niveau psychologique : le fait de pleurer.

Les larmes surviennent dans des contextes très divers : on peut pleurer de tristesse, de rire, en épluchant des oignons, en disant « oui » à son fiancé devant Monsieur le Maire... Toutes ces circonstances ont néanmoins un point commun : les larmes viennent sans intervention de la volonté. Il suffit d'ailleurs d'essayer de se forcer à pleurer naturellement pour comprendre que la volonté n'est pour rien dans les manifestations lacrymales. Dès lors, une conclusion s'impose : les larmes constituent bien un processus physiologique déclenché par l'organisme, comme une sorte de réflexe.

Quand on y réfléchit, on peut se demander quel intérêt trouve le corps à secréter ces quelques gouttes de liquide transparent : simple bizarrerie anatomique ou véritable mécanisme de défense ?

Évacuer bien plus que des larmes

Les convenances sociales actuelles semblent moins tolérer les pleurs de tristesse qu'auparavant. Fondre en larmes en public est considéré par certains comme une attitude impudique, presque exhibitionniste. Les mélancoliques tentent donc de cacher leur tristesse et ravalent leur chagrin, combattant tout signe de faiblesse, parfois au prix d'une véritable lutte intérieure, de peur qu'on ne les voie, que les sanglots ne révèlent ce qu'ils préfèrent cacher. Une partie de notre société est marquée par le refus du malheur et plébiscite le bonheur affiché. Dès lors, nombre d'entre nous sont poussés à vivre dans un compromis permanent, à se contenter de rustines sur le thème « après tout, on n'est pas si malheureux », à entrer dans une fuite constante. Cela se concrétise chez certains par le fait d'allumer la télé ou la radio non pour se divertir mais pour éviter de penser. D'autres boivent un peu trop d'alcool ou se réfugient dans la consommation de produits gras ou sucrés pour éviter d'affronter leurs difficultés.

Ce malaise latent peut durer des mois, des années, même une vie entière. Tant qu'il n'y a pas de pleurs qui rendent visible un désespoir refoulé, le mensonge peut continuer, avec en toile de fond une douleur sourde et souterraine. Je pense pour ma part qu'en cas de coup dur ou de coup de blues, il ne faut surtout pas essayer de retenir ses larmes ; elles aident à prendre conscience de ce qui ne va pas, permettent de concrétiser des sentiments impalpables. Accepter les larmes comme nécessaires, c'est franchir un pas important vers la sérénité et le bonheur. Ce n'est nullement un signe de faiblesse mais, au contraire, une preuve de courage et de sincérité face à nos sentiments. Pleurer constitue un lien naturel, un pont entre l'intérieur et l'extérieur qui contribue à se sentir moins isolé, à trouver en soi une forme de paix et de tranquillité.

Il est tout aussi nécessaire de laisser venir les larmes de joie, de rire, et de ne pas les réprimer. Cela aide à évacuer le stress, à décompresser vraiment et à vivre pleinement un moment heureux ou une émotion intense. En bref, pleurer présente un réel intérêt psychologique dont nul n'a intérêt à se priver. Les plus sceptiques jugeront peut-être cette vision des choses un brin sentimentaliste... Qu'à cela ne tienne : les larmes disposent de propriétés concrètes établies scientifiquement qui risquent fort de les convaincre !

Un élixir aux propriétés surprenantes

De nombreux travaux scientifiques ont été réalisés pour analyser leur composition et évaluer leurs effets sur la santé ou celui de leur absence. Nous allons le voir, ils ont révélé des informations pour le moins inattendues.

Tout d'abord, la formule des larmes est proche de celle du liquide céphalorachidien, dans lequel baigne le cerveau. L'organisme en produit environ 0,1 ml par heure, ce qui permet de maintenir une humidité suffisante au niveau des yeux. Aussi étonnant que cela puisse paraître, cette production varie sous l'influence... des hormones, aussi bien sur le plan quantitatif que qualitatif. Les tissus oculaires comportent des récepteurs à la prolactine, à la progestérone, aux androgènes et aux œstrogènes. Autrement dit, les yeux sont sensibles aux hormones sexuelles ! Une découverte étonnante, qui explique le fait qu'au moment de la ménopause, de nombreuses femmes souffrent de sécheresse oculaire : celle-ci est due aux modifications hormonales adjacentes.

Outre leur sensibilité aux hormones, les larmes présentent aussi la particularité de servir de détecteur anti-pollution. Une étude récente a établi que, lorsque les yeux d'une personne rougissent ou larmoient quand elle se trouve près des fourneaux de sa cuisine, cela révèle de façon quasi certaine une pollution de l'air intérieur. L'irritation oculaire intervient comme un avertisseur d'autant plus efficace que, généralement, quand nos yeux piquent, notre réflexe est d'ouvrir la fenêtre afin d'aérer la pièce. Si ce n'est pas dans vos habitudes, peut-être faut-il y songer. En tout cas, vous pouvez vous fier à vos yeux, ces détecteurs fiables.

Attention toutefois à ne pas confondre une irritation ponctuelle avec les rougeurs oculaires matinales. Il arrive qu'au réveil les yeux soient un peu rougis. C'est normal, car, pendant le sommeil, les glandes lacrymales sont légèrement stimulées. Le liquide produit s'écoule naturellement et les vaisseaux sanguins bordant la cornée se dilatent légèrement pour une meilleure oxygénation, provoquant une rougeur sans sensation d'irritation.

De même, il est normal de pleurer lorsqu'on épluche des oignons ! Le mécanisme est simple : les oignons contiennent des composés volatils agressifs pour les yeux qui secrètent des larmes pour se protéger. Les chercheurs ont d'ailleurs remarqué que la composition de ces larmes différait de la composition de celles liées à l'émotion. Ces dernières contiennent davantage de protéines et d'hormones, en particulier la prolactine et la leucine-enképhaline.

Ces différences ont incité les scientifiques à rechercher plus précisément le rôle de ces hormones. Ils ont établi que la prolactine jouait un rôle certain dans le déclenchement des larmes. Cela explique d'ailleurs que les femmes pleurent quasiment quatre fois plus que les hommes, en particulier entre la puberté et la ménopause. Au cours de l'enfance, les filles et les garçons pleurent presque autant car ils ont le même taux de prolactine. Mais à l'adolescence, le taux de prolactine des filles augmente de 60 % par rapport à celui des garçons, pour redevenir équivalent pendant la cinquantaine.

L'une des découvertes les plus intéressantes concerne néanmoins la leucine-enképhaline. En effet, des chercheurs ont établi qu'elle possédait des propriétés antidouleur ! En cas de douleur oculaire, pleurer aide donc à calmer la souffrance ressentie : un véritable baume apaisant à disposition en quelque sorte. Plus étonnant encore, l'analyse précise des larmes a démontré la présence de molécules liées au stress. En d'autres termes, pleurer permet d'évacuer – au sens propre et bien concret – des substances favorisant l'anxiété. Des travaux scientifiques ont d'ailleurs conclu que pleurer diminuait de 40 % la tristesse ou la colère !

Pleurer apparaît donc comme une soupape de sécurité aussi bien physique que psychologique. La production des larmes permet une meilleure élimination des toxines liées au stress tout en générant des antalgiques naturels. Accepter ses larmes, c'est en somme tout simplement laisser s'effectuer un processus physiologique de défense tout à fait normal.

En résumé, comme le disait Pétrarque : « Pleurer est plus doux qu'on ne le croit... »

Épilogue

Au terme de cet ouvrage, j'espère que vous vous sentez mieux armé pour préserver votre santé et votre bien-être *de façon durable*. S'il n'y avait qu'une leçon à retenir, ce serait peut-être celle-ci : toute démarche de prévention n'a de sens que si elle s'inscrit dans le long terme. Nos choix d'aujourd'hui conditionnent nos éventuelles maladies de demain. Une fois le grand ménage effectué, il faut continuer à entretenir son corps par l'activité physique, la maîtrise de son alimentation, la remise en question régulière de notre mode de vie, la vigilance sur les questions d'hygiène, etc. Cela impose certes des efforts, mais le jeu en vaut largement la chandelle.

En outre, vous n'êtes pas seul dans ce processus : en plus des nombreuses études citées dans le livre, de multiples recherches sont actuellement en cours, partout dans le monde, pour comprendre l'origine des maladies et améliorer leur prévention. Après s'être beaucoup focalisée sur la façon de traiter les affections graves, la médecine moderne s'intéresse de plus en plus à leurs causes et s'avère capable de les appréhender dans toute leur complexité. On sait désormais que l'immense majorité des cancers sont multifactoriels. La connaissance des prédispositions génétiques progresse aussi, contribuant notamment à identifier les dangers particuliers auxquels certaines personnes sont exposées du fait de leurs gènes.

Les sujets abordés dans ce livre sont donc loin d'être clos. De nouvelles avancées sont à venir, qui permettront à la prévention de franchir des étapes décisives et de s'adapter toujours plus finement aux particularités de chacun. Il importe donc de rester à l'écoute des nouvelles découvertes et de ne pas hésiter à en discuter avec son médecin traitant. Dans un monde où tout s'accélère, la science doit évoluer sans cesse pour fournir des réponses aux problèmes nouveaux qui émergent. À chacun d'entre nous de faire de même en apprenant à modifier nos comportements. Histoire de rester toujours en pleine forme !

Étude de la contamination bactérienne de paires de lunettes

L'objectif de cette étude, réalisée en mars 2008, était de rechercher la présence et d'identifier les bactéries contaminant des paires de lunettes qui étaient habituellement portées par leurs utilisateurs.

Matériel et méthodes

Les 23 paires de lunettes étudiées ont été placées chacune dans un flacon stérile de 1 litre. Les flacons ont ensuite été remplis de bouillon nutritif et incubés dans une étuve à 37 °C.

Après 24 heures d'incubation, des ensemencements ont été réalisés sur divers milieux de culture :

— trypto caséine soja pour la culture et l'isolement des bactéries aérobies revivifiables ;

— BCP (gélose lactosée au bromocrésol pourpre), milieu non sélectif pour la détection et l'isolement des entérobactéries ;

— Chapman au mannitol pour l'isolement sélectif et la recherche des staphylocoques ;

— Baird Parker avec R.P.F. (Rabbit Plasma Fibrinogen) pour l'isolement direct des staphylocoques à coagulase positive.

Les colonies bactériennes ont été identifiées sur des galeries d'identification biochimique de type API.

Résultats

Globalement, 21 paires de lunettes sur 23 ont montré une culture bactérienne. L'identification des isolats distingue les différentes familles de bactéries identifiées : bacilles à Gram négatif, bacilles à Gram positif (*Bacillus spp.*) et cocci à Gram positif.

Sur les 23 paires de lunettes étudiées, 15 ont révélé la présence de *Bacillus spp.*, 8 la présence de staphylocoques et 3 la présence d'entérobactéries.

Les 8 staphylocoques ont été identifiés : 2 *Staphylococcus aureus*, 3 *Staphylococcus warneri* et 3 *Staphylococcus epidermidis*.

Les 3 entérobactéries ont été identifiées : 2 *Escherichia coli* et 1 *Pantoea*.

Discussion

Les bactéries identifiées sur les paires de lunettes ont des origines et des potentiels pathogènes très différents.

Staphylococcus epidermidis (ou *staphylococcus albus* = staphylocoque blanc) est une bactérie commensale de la peau ; ses propriétés lipolytiques lui permettent de prospérer dans le sébum. Il est normalement inoffensif mais il provoque d'authentiques infections chez des individus fragilisés (surtout les porteurs de prothèse cardiaque qui, en tant que corps étranger, en facilite l'implantation).

Staphylococcus warneri fait partie des staphylocoques blancs (ou à coagulase négative). Il s'agit d'un hôte habituel de la peau. *S. warneri est beaucoup moins virulent que le staphylocoque doré (Staphylococcus aureus).* Il peut cependant dans certaines conditions être responsable d'infections sévères à type de septicémies ou d'endocardites.

Staphylococcus aureus (ou staphylocoque doré) est retrouvé chez 15 à 30 % des individus sains au niveau des fosses nasales et de la gorge. À partir du rhinopharynx, la bactérie est disséminée sur la peau (mains et visage) par aérosols. Elle est souvent présente sur les vêtements et dans les squames (qui font partie de la poussière de tout local habité). Comme les staphylocoques résistent bien à la dessiccation, la transmission peut être non seulement directe (surtout par les mains) mais aussi indirecte par les objets et poussières.

Staphylococcus aureus est responsable d'intoxications alimentaires, d'infections localisées suppurées et, dans certains cas extrêmes, de septicémies chez des sujets fragilisés (greffe, prothèses cardiaques).

Escherichia coli est un bacille à Gram négatif de la famille des entérobactéries. C'est un hôte commun de la microflore commensale intestinale de l'homme et des animaux à sang chaud (mammifères et oiseaux). *E. coli* constitue tout au long de la vie de l'hôte l'espèce bactérienne dominante de la flore aérobie intestinale. Certaines souches spécialisées d'*E. coli* sont associées à des pathologies très diverses tant chez l'être humain que chez l'animal : diarrhées, gastro-entérites, infections urinaires, septicémies, méningites...

Pantoea (ou *Enterobacter agglomerans*) appartient à la famille des entérobactéries. C'est un hôte de l'intestin de l'homme et des animaux, mais il est aussi trouvé dans l'environnement : eaux, plantes, sol, produits laitiers. Il peut être responsable d'infections nosocomiales (urinaires, bactériémies, méningites, suppurations diverses).

Les *Bacillus* sont des bactéries saprophytes et ubiquitaires, fréquemment retrouvées dans le sol, la terre, les poussières, les eaux. Les espèces saprophytes sont responsables de multiples dégradations de produits alimentaires. Certaines espèces possèdent un pouvoir pathogène pour l'homme (*Bacillus anthracis,* responsable de la maladie du charbon, *Bacillus cereus* à l'origine d'intoxications alimentaires, etc.).

Conclusion

Dans une étude de détection et d'identification des bactéries isolées sur 23 paires de lunettes, on note la présence de *Bacillus* (15/23), d'entérobactéries (3/23) (*Escherichia coli* 2/23, *Pantoea* 1/23) et de staphylocoques (8/23) (*S. epidermidis* 3/23, *S. warneri* 3/23, *S. aureus* 2/23). Cette étude confirme que les paires de lunettes peuvent être fréquemment contaminées par des bactéries commensales de la peau (staphylocoques) ou du tube digestif (*Escherichia coli*), mais aussi par des bactéries saprophytes des milieux de l'environnement tels que surfaces et poussières (*Bacillus, Pantoea*). La contamination résulte de leur contact avec la peau du visage, des mains ou des cheveux, lorsqu'elles sont portées sur la tête, et de toutes les surfaces et poussières de l'environnement domestique et professionnel. Un petit

nombre de paires de lunettes (4/23) renferment des bactéries connues pour leur pouvoir pathogène pour l'homme :
Staphylococcus aureus, Escherichia coli.

Selon leur virulence, leur quantité et la susceptibilité
de l'hôte (rupture des barrières cutanéo-muqueuses,
immunodépression...), ces bactéries au potentiel pathogène pourraient être à l'origine d'un processus infectieux. Afin d'éviter que les lunettes ne soient un vecteur
de contamination bactérienne, surtout dans des lieux à
haut risque (établissement de santé, restauration collective, secteurs pharmaceutique, agro-alimentaire ou cosmétique, laboratoires...), il s'avère indispensable de ne
pas oublier de les nettoyer entièrement (verres et montures), au mieux quotidiennement.

Docteur Fabien Squinazi
Laboratoire d'hygiène de la Ville de Paris

Bibliographie

Chapitre 1

Jung A., Leonhardt F., Schill W.-B., Schuppe H.-C., « Influence of the type of undertrousers and physical activity on scrotal temperature », *Human Reproduction*, avril 2005 ; 20(4):1022-7. E-publication, 23/12/2004.

Jung A., Schill W.-B., « Male infertility. Current life style could be responsible for infertility », *MMW Fortschr Med*, septembre 2000 ; 142(37):31-3.

Jung A., Hofstatter J.-P., Schuppe H.-C., Schill W.-B., « Relationship between sleeping posture and fluctuations in nocturnal scrotal temperature », *Reproductive Toxicology*, juillet-août 2003 ; 17(4):433-8.

Jung A., Eberl M., Schill W.-B., « Improvement of semen quality by nocturnal scrotal cooling and moderate behavioural change to reduce genital heat stress in men with oligoasthenoteratozoospermia », *Reproduction*, avril 2001 ; 121(4):595-603.

Haughey B.-P., Graham S., Brasure J., Zielezny M., Sufrin G., Burnett W.-S., « The epidemiology of testicular cancer in upstate New York », *American Journal of Epidemiology*, juillet 1989 ; 130(1):25-36.

277

Munkelwitz R., Gilbert B.-R., « Are boxer shorts really better ? A critical analysis of the role of underwear type in male subfertility », *The Journal of Urology*, octobre 1998 ; 160(4): 1337.

Sheynkin Y., Jung M., Yoo P., Schulsinger D., Komaroff E., « Increase in scrotal temperature in laptop computer users », *The Journal of Urology*, août 2005 ; 174(2):661.

Song G.-S., Seo J.-T., « Changes in the scrotal temperature of subjects in a sedentary posture over a heated floor », *International Journal of Andrology*, août 2006 ; 29(4):446-57.

Valeri A., Miann D., Merouze F., Bujan L., Altobelli A., Masson J., « Scrotal temperature in 258 healthy men, randomly selected from a population of men aged 18 to 23 years old. Statistical analysis, epidemiologic observations, and measurement of the testicular diameters », *Progrès en Urologie*, juin 1993 ; 3(3):444-52.

Chapitre 5

Anderson J.-W., Liu C., Kryscio R.-J., « Blood Pressure Response to Transcendental Meditation : A Meta-analysis », *American Journal of Hypertension*, mars 2008 ; 21(3): 310-6. E-publication, 31/01/2008.

Barnes V.-A., Treiber F.-A., Johnson M.-H., « Impact of transcendental meditation on ambulatory blood pressure in African-American adolescents », *American Journal of Hypertension*, avril 2004 ; 17(4):366-9.

Beauchamp-Turner D.-L., Levinson D.-M., « Effects of meditation on stress, health and affect », *Medical-Psychother Int J*, 1992 ; 5:123-3.

Canter P.-H., Ernst E., « Insufficient evidence to conclude whether or not Transcendental Meditation decreases blood pressure : results of a systematic review of randomized clinical trials », *Journal of Human Hypertension*, novembre 2004 ; 22(11):2049-54.

Kabat-Zinn J., Massion A.-O., Kristeller J., Peterson L.-G., Fletcher K.-E., Pbert L., Lenderking W.-R., Santorelli S.-F., « Effectiveness of a meditation-based stress reduction program in the treatment of anxiety disorders », *The American Journal of Psychology*, 1992 ; 149:936-43.

Kretzer K., Davis J., Easa D., Johnson J., Harrigan R., « Self identity through Ho'oponopono as adjunctive therapy for hypertension management », *Ethnicity and Disease*, automne 2007 ; 17(4):624-8.

Lutz A., Greischar L., B. Rawlings N., Ricard M., J. Davidson R., Keck W.M., « Long-term meditators self-induce high-amplitude gamma synchrony during mental practice », PNAS, novembre 2004 ; 101(46):16369-16373.

Manikonda J.-P., Störk S., Tögel S., Lobmüller A., Grünberg I., Bedel S., Schardt F., Angermann C.-E., Jahns R., Voelker W., « Contemplative meditation reduces ambulatory blood pressure and stress-induced hypertension : a randomized pilot trial », *Journal of Human Hypertension*, février 2008 ; 22(2):138-40. E-publication, 6/09/2007.

Schneider R.-H., Alexander C.-N., Staggers F., Rainforth M., Salerno J.-W., Hartz A., Arndt S., Barnes V.-A., Nidich S.-I., « Long-term effects of stress reduction on mortality in persons > or = 55 years of age with systemic hypertension », *The American Journal of Cardiology*, mai 2005 ; 95(9):1060-4.

Schneider R.-H., Alexander C.-N., Staggers F., Orme-Johnson D.-W., Rainforth M., Salerno J.-W., Sheppard W., Castillo-Richmond A., Barnes V.-A., Nidich S.-I., « A randomized controlled trial of stress reduction in African Americans treated for hypertension for over one year », *American Journal of Hypertension*, janvier 2005 ; 18(1):88-98.

J. Davidson R., Kabat-Zinn J., Schumacher J., Rosen-kranz M., « Alterations in Brain and Immune Function Produced by Mindfulness Meditation », *Psychosomatic Medicine*, 2003 ; 65:564-570.

Yadav R.-K., Ray R.-B., Vempari R., Bijlani R.-L., « Effect of a comprehensive yoga-based lifestyle modification program on lipid peroxidation », *Indian Journal of Physiology and Pharmacology*, juillet-septembre 2005 ; 49(3):358-62.

Chapitre 6

« Prevention of infections in the ophthalmology office », *Bull Soc Belge Ophtalmol.*, 1996 ; 260:9-16.

« Transmission of staphylococci from the nose to hands and eye-glasses as a nosocomial problem », *Zentralbl Bakteriol (Orig B)*, janvier 1977 ; 164(1-2):127-37.

Sundkvist T., Hamilton G.-R., Hourihan B.-M., Hart I.-J. « Outbreak of hepatitis : A spread by contaminated drinking glasses in a public house », Commun Dis Public Health, mars 2000 ; 3(1):60-2.

Chapitre 10

Adigun A.-Q., Mudasiru Z., « Clinical effects of grapefruit juice-nifedipine interaction in a 54-years-old

Nigerian : a case report », *J. Natl. Med. Assoc.*, avril 2002 ; 94(4):276-8.

Brandin H., Myrberg O., Rundlof T., Arvidsson A.-K., Brenning G., « Adverse effects by artificial grapefruit seed extract products in patients on warfarin therapy », *European Journal of Clinical Pharmacology*, juin 2007 ; 63(6):565-70. E-publication, 20/03/2007.

Hagège C., Berta J.-L., « Interaction nutrition et médicaments », *Revue de nutrition pratique.*

Jürgen Roth H., Wintergalen M., « Unusual high levels of ciclosporin in a female patient – the impact of lifestyle ? », *Clinical Laboratory*, 2005 ; 51(7-8):425-7.

Lilley L.-L., Guanci R., « Grapefruit and medication », *Am J Nurs.*, décembre 1998 ; 98(12):10.

Taniguchi K., Ohtani H., Ikemoto T., Miki A., Hori S., Sawada Y., « Possible case of potentiation of the anti-platelet effects of cilostazol by grapefruit juice », *Journal of Clinical Pharmacy & Therapeutics*, octobre 2007 ; 32(5):457-9.

Wiens A., « How does grapefruit juice affect psychotropic medications ? », *J. Psychiatry Neurosci*, mars 2000 ; 25(2):198.

Chapitre 13

Alberts D.-S., Martinez M.-E., Roe D.-J., Guillen-Rodriguez J.-M., Marshall J.-R., van Leeuwen J.-B., « Lack of effect of a high-fiber cereal supplement on the recurrence of colorectal adenomas », Phoenix Colon Cancer Prevention Physicians'Network, *The New England Journal of Medicine*, 2000 ; 342:1156-62.

Baron J.-A., Beach M., Mandel J.-S., van Stolk R.-U., Haile R.-W., Sandler R.-S., « Calcium supplements and colorectal adenomas. Polyp Prevention Study Group », *The New England Journal of Medicine*, 1999 ; 889:138-45.

Bonithon-Kopp C., Kronborg O., Giacosa A., Rath U., Faivre J., « Calcium and fibre supplementation in prevention of colorectal adenoma recurrence : a randomised intervention trial », European Cancer Prevention Organisation Study Group, *The Lancet*, 2000 ; 356: 1300-6.

Peters U., Sinha R., Chatterjee N., Subar A.-F., Ziegler R.-G., Kulldorkk M., « Dietary fibre and colorectal adenoma in a colorectal cancer early detection programme », *The Lancet*, 2003 ; 361:1491-5.

Schatzkin A., Lanza E., Corle D., Lance P., Iber F., Caan B., « Lack of effect of a low-fat, high fiber diet on the recurrence of colorectal adenomas », Polyp Prevention Trial Study Group. *The New England Journal of Medicine*, 2000 ; 342:1149-55.

Wu K., Willett W.-C., Fuchs C.-S., Colditz G.-A., Giovannucci E.-L., « Calcium intake and risk of colon cancer in women and men », *Journal of National Cancer Institute*, 2002 ; 94:437-46.

Chapitre 14

Boutron-Ruault M.-C., « Probiotics and colorectal cancer », Nutrition clinique et métabolisme, juin 2007 ; 21(2):85-8.

Levitt Michael D., Furne J., Springfield J., Suarez F., De Master E., « Detoxification of hydrogen sulfide and methanethiol in the cecal mucosa », *J. Clin. Invest.*, 1999 ; 104(8):1107-1114.

Srocchi A., Ellis C.-J., Furne J.-K., Levitt M.-D., « Study of constancy of hygrogen-consuming flora of human colon », Minneapolis VA Medical Center, *Digestive Diseases and Scienses*, mars 1994 ; 39(3):494-7.

Suarez F., Furne J., Springfield J., Levitt M., « Production and elimination of sulfur-containing gases in the rat colon », *Am. J. Physiol. Gastrointest Liver Physiol.*, 1998 ; 274:727-733.

Chapitre 15

Boeckxstaens G.-.E., « The lower oesophageal sphincter », Division of Gastroenterology, Academic Medical Center, Amsterdam, *The Netherlands-Neurogastroenterol Motil*, 2005 ; 13-21.

Dena A., Brown R.S., Rodriguez L.O., Moody E.L., Nasr M.F., « Dental erosion caused by silent gastroesophageal reflux disease », *Clinical Pratice Abstract-American Dental Association*, 2002.

Shaheen N., Ransohoff D.F., « Gastroesophageal Reflux, Barett Esophagus, and Esophageal Cancer, Scientific Review and clinical applications », *Jama*, 2002 ; 287:1972-1981.

Tran T., Spechler Stuart J., Richardson P., El-Serag H.B., « Fundoplication and the Risk of Esophageal Cancer in Gastroesophageal Reflux Disease : a veterans Affairs Cohort Study », *American Journal of Gastroenterology*, 2005 ; 100:1002-1008.

Chapitre 16

Altieri A., La Vecchia C., Negri E., « Fluid intake and risk of bladder and other cancers », *European Journal of Clinical Nutrition*, 2003, n° 57.

Anderson R.-L., « Early indicators of bladder carcinogenesis produced by non-genotoxic agents », *Mutatation Research*, juin1991 ; 261-70.

Braver D.-J., Modan M., Chetrit A., Lusky A. et Braf Z., « Drinking, micturition habits and urine concentration as potential risk factors in urinary bladder cancer », *The Journal of National Cancer Institute*, 1987 ; 78:437-440.

Cartwright R.A., « Screening workers exposed to suspect bladder carcinogens », *Journal of Occupational Medicine*, octobre 1986, vol. 28, n° 10.

Cohen S.-M., « Role of urinary physiology and chemistry in bladder carcinogenesis », *Food and Chemical Toxicology*, septembre 1995 ; 33(9):715-30.

Dunham L.-J., Rabson A.-S., Stewart H.-L., Frank A.-S. and Young J.-L., « Rates, interview and pathology study of cancer of the urinary bladder in New Orleans », The *Journal of National Cancer Institute*, 1968 ; 41:683-709.

Michaud D.-S., Spiegelman D., Clinton S.-K., Rimm E.-B., Curhan G.-C., Willett W.-C., Giovannucci E.-L., « Fluid intake and the risk of bladder cancer in men », *The New England Journal of Medicine*, 1999 ; 340:1390-1397.

Pavanello S., Lupi S., Pulliero A., Gregorio P., Onofrio B., Clonfero S.-E., « Mutagenic Activity of Overnight Urine from Healthy Non-Smoking Subjects »,

Environmental and Molecular Mutagenesis, 2007 ; 48:143-150.

Twaij M., « Urinary tract infection in children : a review of its pathogenesis and risk factors », *The Journal of the Royal Society for the Promotion of Health*, 2000 ; 120(4):220-6.

Wilkens L.-R., Kadir M.-M., Kolonel L.-N., Nomura A.M.-Y., Hankin J.-H., « Risk factors for lower urinary tract cancer : the role of total fluid consumption, nitrites and nitrosamines, and selected foods », *Cancer Epidemiol. Biomarkers Prev.*, 1996 ; 161-166.

Chapitre 17

Bigiani A., Mucignat-Caretta C., Montani G., Tirindelli R., « Pheromone reception in mammals », *Rev. Physiol. Biochem. Pharmacol.*, 2005, 154:1-35.

Brossut R., *Les Phéromones, la communication chimique*, Paris, CNRS, 1996.

Cowley J.-J., Brooksbank B.-W., « Human exposure to putative pheromones and changes in aspects of social behaviour », *Journal of Steroid. Biochem. Mol. Biol.*, octobre 1991 ; 39(4B): 647-59.

Darbre P.-D., « Aluminium, antiperspirants and beast cancer », *Journal of Inorganic Biochemistry*, septembre 2005 ; 99(9): 1912-9.

Graziottin A., « The biological basis of female sexuality », *Int. Clin. Psychopharmacol.*, juillet 1998 ; 13Suppl6:S15-22.

Jacob T.-J., Wang L., Jaffer S., Mc Phee S., « Changes in the odor quality of androstadienone during exposure-induced sensitization », *Chemical Senses*, janvier 2006 Jan ; 31(1):3-8. E-publication 9/11/2005.

Mc Grath K.-G., « An earlier age of breast cancer diagnosis related to more frequent use of antiperspirants/deodorants and underarm shaving », *European Journal of Cancer Prevention*, avril 2004 ; 13(2):153.

Mirick D.-K., Davis S., Thomas D.-B., « Antiperspirant use and the risk of breast cancer », The *Journal of National Cancer Institute*, octobre 2002 ; 94(20):1578-80.

Preti G., Wysocki C.J., Barnhart K.T., Sondheimer S.J., Leyden J.J., « Male Axillary Extracts Contain Pheromones that Affect Pulsatile Secretion of Luteinizing Hormone and Mood in Women recipients », *Biology of Reproduction*, 2003 ; 68(6):2107-2113.

Silvotti L., Montani G., Tirindelli R., Department of Neuroscience, University of Parma, Italy, « How mammals detect pheromones », *J Endocrinol Invest.*, 2003 ; 26(3 Suppl):49-53.

Smals A.-G., Weusten J.-J., « Ene-steroids in the human testis », *Journal of Steroid. Biochem. Mol. Biol.*, 1991 ; 40(4-6):587-92.

Spielman A.-I., Zeng X.-N., Leyden J.-J., Preti G., « Proteinaceous precursors of human axillary odor : isolation of two novel odor-binding proteins », *Experientia*, janvier 1995 15 ; 51(1):40-7.

Vergriete J., « Les phéromones humaines ont-elles un intérêt pratique en sexologie ? », *Sexologies*, Volume 16, Issue 1, janvier-mars 2007, pp.15-21.

Willis C., « Des chiens détectent le cancer de la vessie par l'odeur de l'urine », Br Med, 2004 ; 329:712.

Wyart C., Webster W.-W., Chen J.-H., Wilson S.-R., Mc Clary A., Khan R.-M., Sobel N., « Smelling a single component of male sweat alters levels of cortisol in women », *The Journal of Neuroscienses*, février 2007 7 ;27(6):1261-5.

Wysocki C.-J., Preti G., « Facts, fallacies, fears, and frustrations with human pheromones », *The Anatomical Record Part A : Discoveries in Molecular, Cellular, and Evolutionary Biology,* novembre 2004 ; 281(1):1201-11.

Chapitre 19

Cherry J.-D., « The common cold », In : *Feigin R. D. and cherry J. E. textbook of Pediatric Infectious Diseases. 2nd. Ed.*, Philadelphia, W.B. Saunders, 1987 ; 155-60.

Cohen S., Tyrell D.A.-J., Smith A.-P., « Psychological stress and susceptibilidad to the common cold. » *N. Engl. J. Med.* 1991 ; 325:606-12.

D'Alessio D.-J., Peterson J.-A., Dick C.-R., « Transmission of experimental rhinovirus colds in volunteer married couples », *Journal of Infect. Dis.*, 1976 ; 133:28-36.

Gwaltney Jr J.-M., « Rhinovirus. » In : *Evan AS Viral Infections of Human : Epidemiology and* control, New York, Plenum Medical Book Co, 1982:491-517.

Hendley J.-D., Gwaltney Jr. J.-M., « Mecanisms of transmission of rhinovirus infections », *Epidemiol. Rev.*, 1988 ;10/242-58.

Tyrell D., « What's new on the common cold ? », *Practitioner*, 1990 ; 234:391-95.

Chapitre 20

Deputte B.-L., « Ethological study of yawning in primates quantitative analysis and study of causation in two species of Old World Monkeys (Cercocebus albigena and Macaca fascicularis) », *Ethology*, 1994 ; 98:221-222.

Deputte B.-L., Johnson J., Hempel M., Scheffler G., « Behavioral effects of an antiandrogen in adult male rhesus macaques (Macaca mulatta) », *Hormones and Behavior*, 1994 ; 28(2):155-164.

Greco M, Baenninger R., Govern J., « On the context of yawning : when ; where ; and why ? », *The Psychological Record.*, mars 1993 ; 43:175-183.

Petrikovsky B., Kaplan G., Holsten N., Department of Obstetrics and Gynecology, North Shore University Hospital-NYU School of Medicine, Manhasset, New York, USA, « Fetal yawning activity in normal and high-risk fetuses : a preliminary observation », *Ultrasound in Obstetrics and Gynecology*, février 1999 ; 13(2):127-30.

Phillips-Bute B.-G., Lane J.-D., « Caffeine withdrawal symptoms following brief caffeine deprivation », *Physiology and Behavior*, 1997 ; 63(1):35-9.

Platek S.-M., Critton S.-R., Myers T.-E., Gallup G.-G., « Contagious yawning : the role of self-awareness and mental state attribution », *Cognitive Brain Research*, 2003 ; 17(2):223-227.

Walusinski O., « Pourquoi bâillons-nous ? », *La Revue du Praticien Médecine générale*, 2000 ; 14(487):259-263.

Chapitre 21

Ellegard A., « Tears while cooking : an indicator of indoor air pollution and related health effects in developing countries », *Environmental Research*, octobre 1997 ;75(1):12-22.

Oprea L., Tiberghien A., Creuzot-Garcher C., Baudouin C., « Hormonal regulatory influence in tear film », *Journal français d'ophtalmologie*, octobre 2004 ; 27(8):933-41.

Mathers W.-D., Stovall D., Lane J.-A., Zimmerman M.-B., Johnson S., « Menopause and tear function : the influence of prolactin and sex hormones on human tear production », *Cornea*, juillet 1998 ; 17(4):353-8.

Remerciements

L'auteur tient à remercier, pour leur amitié, leurs conseils et leurs patientes relectures :

Pr Frédéric Baud
Pr Josette Dall'ava-Santucci
Mme Viviane Damboise
Dr François Fisch
Pr Gérard Friedlander
Pr Claude Jasmin
Dr Jean-Pierre Lablanchy
Dr Stéphane Pasteau
Dr Hervé Robert
Dr Fabien Squinazi
M. Laurent Weill

Table

Préface.. 9
Prologue.. 13

PREMIÈRE PARTIE
Se protéger contre les menaces cachées

CHAPITRE 1 : Éliminez... ce qui menace l'espèce........ 23
CHAPITRE 2 : Éliminez... ce qui encombre l'espace
de vie et le cerveau.................................... 35
CHAPITRE 3 : Éliminez... les addictions...................... 45
CHAPITRE 4 : Éliminez... les petits états dépressifs 57
CHAPITRE 5 : Éliminez... le stress.............................. 69
CHAPITRE 6 : Éliminez... les germes 83

DEUXIÈME PARTIE
Une alimentation plus saine

CHAPITRE 7 : Éliminez... vos kilos en trop 99
CHAPITRE 8 : Éliminez... le sucre en excès................. 111
CHAPITRE 9 : Éliminez... l'alcool 121

CHAPITRE 10 : Éliminez... les interférences cachées ... 135

CHAPITRE 11 : Éliminez... le cholestérol.................... 143

CHAPITRE 12 : Éliminez... les idées reçues en matière
d'alimentation.. 153

TROISIÈME PARTIE
Mieux éliminer naturellement

CHAPITRE 13 : Mieux éliminer... en favorisant le
transit intestinal...................................... 171

CHAPITRE 14 : Éliminez... les gaz...................... 183

CHAPITRE 15 : Éliminez... dans le bon sens 193

CHAPITRE 16 : Éliminez... en urinant.......................... 201

CHAPITRE 17 : Éliminez... la sueur ! 217

CHAPITRE 18 : Éliminez... en éjaculant ou le secret
du sperme 231

CHAPITRE 19 : Bien se moucher pour bien... éliminer 241

CHAPITRE 20 : Bien respirer pour mieux... éliminer ... 249

CHAPITRE 21 : Éliminez... à chaudes larmes 261

Épilogue.. 269

ANNEXE 1 : Étude de la contamination bactérienne
de paires de lunettes............................... 271

Bibliographie 277

Remerciements 291

Composition et mise en page

NORD COMPO
m u l t i m é d i a

Cet ouvrage a été imprimé par la
SOCIÉTÉ NOUVELLE FIRMIN-DIDOT
Mesnil-sur-l'Estrée
pour le compte des Éditions Flammarion
en avril 2008

Imprimé en France
Dépôt légal : avril 2008
N° d'édition : L.01ELKN000160.N001 – N° d'impression : 89818